LE BALLON D'OR

YVES PINGUILLY

Illustrations de Zaü

LE BALLON D'OR

D'OR

récit tiré du film

RAGEOT

Cet ouvrage a été imprimé sur un papier
issu de forêts gérées durablement,
de sources contrôlées.

Couverture : © Dave Hamman - Gettyimages.

ISBN 978-2-7002-5447-1
ISSN 1951-5758

À MAKONO,
VILLAGE
DE HAUTE-GUINÉE

Tout autour du village de Makono, les génies ont fait pousser une belle savane d'herbe à éléphant. Ils ont fait grandir des arbres droits qui essaient de chatouiller le ciel et aussi un ou deux acacias au dos tordu.

Ce jour-là, sur la petite piste de poussière rouge qui traverse la savane, il y avait deux pieds plus agiles que les quatre pattes d'un cabri ! Deux pieds plus rapides qu'un tam-tam enragé ! Deux pieds qui feintaient en riant une vieille branche tombée ! Deux pieds plus remuants que la barbiche d'un bouc ! Deux pieds qui couraient en frappant en pleine course un ballon de chiffon.

Était-ce une autruche de la brousse ? Non…
c'était Bandian : il dansait avec son ballon. Il
était souple comme une liane et plus élastique
qu'un singe.

C'était Bandian, oui. Les deux pieds plus
rapides que la tête d'un serpent. Il arriva au
village, son ballon de chiffon devant lui. Il
évita habilement une vieille calebasse ébré-
chée qui faisait semblant d'être la gardienne
des cases.

Sur la place du village, Bandian s'arrêta juste
sous le baobab. Là, tous les garçons de toutes
les cases écoutaient la radio. Le maître du grand
parler sportif racontait le match. Incroyable :
les *Lions Indomptables** du Cameroun ne se
laissaient pas impressionner par la Coupe du
monde… les *Lions Indomptables* domptaient
le ballon et…

Bandian et tous les garçons écoutaient. On
aurait dit une grappe de sauterelles immobiles, les oreilles grandes ouvertes.

– Bandian, viens nous aider.

* Les termes suivis d'une étoile renvoient au glossaire qui figure en fin
d'ouvrage.

Deux enfants encore plus petits que Bandian tenaient au bout d'une corde une jeune chèvre. Ils tiraient de toutes leurs forces, mais la chèvre ne voulait plus avancer.

– Bandian…

Bandian écoutait. Dans le poste de radio, les *Lions Indomptables* du Cameroun avec leurs culottes rouges et leurs maillots jaunes résistaient et contre-attaquaient. Bandian, qui était né un soir où la lune était ronde et lumineuse comme un ballon de foot en or, contre-attaquait avec les *Lions*. Il allait arriver aux seize mètres : non il n'était pas hors jeu. Sur l'autre aile, Roger Milla lui non plus n'était pas hors jeu…

– Bandian, viens, viens vite. Viens nous aider.

À regret, mais bien obligé, Bandian quitta la fraîcheur du baobab et s'éloigna de la voix qui racontait le match. Il alla aider les petits à tirer la chèvre jusqu'à l'apatam* où les vieux s'étaient assis, après leur prière de l'après-midi. La chèvre résistait. Il fallut tirer et pousser. Siaki, le maître du couteau, attendait. La chèvre était certainement pour lui…

Milla feinte. Milla ajuste… il va tirer… il tire : BUT !!!

D'un seul coup, tous les enfants se mirent à crier leur joie. Ils sautèrent sur place, tournèrent en rond. Chacun d'entre eux devint un baobab qui applaudissait de toutes ses branches. Bandian et les deux petits lâchèrent la corde. La chèvre s'échappa. Peut-être qu'elle aussi voulait faire un tour d'honneur dans la savane !

BUT !!! Milla avait marqué, l'Afrique avait marqué. Tous les garçons dansaient. Ils portèrent le poste de radio en triomphe au-dessus de leurs têtes. Le reporter sportif continuait à raconter : « Milla danse de joie, il danse le makossa ». Les garçons aussi dansaient, criaient, chantaient. Bandian dansa, cria, chanta. Il savait bien que c'était lui qui avait marqué, lui le champion d'Afrique, lui le champion du monde. Bandian dansa encore. Il entendit le monde entier crier Bandian-champion ! Bandian-champion ! Bandian-champion !

Oui, Bandian-champion, Bandian la gazelle de Makono, Bandian la gazelle de Guinée, Bandian la gazelle d'Afrique. Il dansa. Sara le féticheur l'avait bien dit : Bandian était né un soir de pleine lune… un soir où la lune était un ballon d'or dans le ciel… un ballon de foot.

Il faisait nuit. Bandian avait mangé sa part de fonio* sans laisser une seule trace de sauce gluante sur ses doigts. Il était allongé sur sa natte. Il devinait les images des joueurs de foot qu'il avait collées au mur. Il ne dormait pas. Le vieux Moussa, son père, se reposait dans sa case avec Kani. Celle-là, la coépouse de sa mère, n'était pas gentille. Toujours elle criait. Celle-là, elle commanderait les nuages du ciel si elle pouvait.

Près de Bandian, Kanimadi son grand frère dormait sans bouger. Bandian savait bien que sa nuit à lui serait mal dormie. Il pensait trop au ballon qu'il aurait un jour. Un vrai ballon en cuir de buffle ou d'antilope... Il entendit sa mère qui toussait et se plaignait dans son demi-sommeil. Sa mère encore malade. Sa mère qui ne guérissait pas.

Juste avant que le cri du coq ne réveille les poules et ne dise au jour de venir prendre la place de la nuit dans le ciel, Bandian s'était endormi. Il avait rêvé tard les yeux ouverts. Pourtant, c'est lui qui se leva le premier.

13

– Kanimadi, réveille-toi... lève-toi... mets ta chemise.

Pendant que son frère se réveillait, Bandian alla voir sa mère. Elle était allongée sur le côté, bien enveloppée dans son pagne. Elle toussait encore. Ses yeux brillants étaient habités par la fièvre. Il toucha sa main.

– Maman... ça va ?

Elle lui répondit oui, d'un léger hochement de tête. Bandian savait bien que ce oui-là n'était pas un vrai oui ; il savait bien que sa maman était malade ; il savait bien qu'à Makono, toutes les mamans allaient jusqu'au puits chercher l'eau dès la venue du jour, avant d'allumer leur foyer.

– Maman, c'est l'heure, je dois partir.

– Bandian... fais bien attention à toi.

– N'na*, je pars, mais seulement un peu. Tout à l'heure je vais revenir vers toi.

Dehors, Bandian retrouva son frère. Kanimadi était entre les bras de la charrette, prêt à tirer aussi fort qu'un âne. Ils partirent. Kanimadi tirait. Bandian poussait. Ils sortirent du village. Leur charrette était aussi large que la petite piste allongée dans l'herbe. Au loin, quelques hautes branches de kapokier* les regardaient approcher.

14

Dès qu'ils furent au pied des arbres, ils ramassèrent les branches mortes qui attendaient par terre. Heureusement pour eux, l'harmattan* était passé par là. Il avait assez soufflé pour leur assurer une bonne récolte. C'est Bandian qui avait eu l'idée du bois ! Ramasser chaque jour un peu plus de bois, c'était déjà commencer à acheter un vrai ballon... seulement commencer, parce que le bois ne se vendait pas cher, alors qu'un vrai ballon en vrai cuir coûtait plus qu'un sac de cinquante kilos de riz, plus même qu'une belle pépite d'or de Siguiri.

La charrette fut vite remplie. Kanimadi tirait... comme un âne ; Bandian poussait... de toutes ses forces.

– Bandian, pousse !
– Je pousse.
– Pousse plus fort !
– Je pousse plus fort.
– Pousse comme un *Lion Indomptable*... comme un *Éléphant**... comme un *Pharaon**...

Ils arrivèrent à Kankan avec leur chargement. Ils tiraient et poussaient sans parler et sans rire. Ils passèrent le fleuve. Ouf ! Ils arrivaient enfin à destination. La sueur collait leur chemise sur leur peau. S'il avait pu parler, le dépôt de bois aurait eu bien des histoires à raconter. Des histoires de branches qui sentent encore les goyaves vertes, des histoires de jeunes singes qui jouent à la balançoire en haut des arbres, des histoires de jeteur de feu sur toutes les feuilles. Près du bois empilé, une grande balance attendait. Elle n'était pas là pour peser le reste de forces de Kanimadi et de Bandian, mais pour peser le bois mort à son juste poids.

– Présentement, le compte est bon.

C'est le marchand qui avait parlé. Tranquillement, comme s'il se retirait une épine des fesses, il sortit son paquet de billets. À regret il commença à en compter dix. C'étaient des billets de cent francs guinéens*. De vieux billets usés qui avaient l'air aussi morts que le bois qui venait d'être pesé.

– … Cinq, six, sept, huit, neuf et dix. Voilà. Ça fait mille francs.

Le marchand, en même temps qu'il tendit l'argent à Kanimadi de sa main droite, posa sa main gauche sur son épaule pour l'empêcher de partir. Il dit :

– Et la charrette ? Ma charrette, je ne te l'ai pas louée zéro franc ! Tu me dois cinq cents francs exactement.

Il reprit ses dix billets. Toujours aussi lentement en compta cinq et rendit les cinq autres à Kanimadi.

– Te voilà bien payé… et moi aussi.

Kanimadi ne dit rien. Il empocha ses billets, jeta un bref coup d'œil à Bandian et récupéra un petit banc à deux places qui était rangé depuis la veille derrière la balance. Il partit en courant. Bandian le suivit. Kanimadi, banc sur la tête, Bandian coudes au corps. En passant devant le grand marché de Kankan, ils respirèrent sans ralentir l'air asséchant, lourd et aigre.

Quand ils arrivèrent à l'école, il n'y avait plus un seul élève en vue. Il n'y avait plus qu'un chien, occupé à attraper les mouches qui se posaient sur les égratignures de ses oreilles et les croûtes de ses vieilles blessures.

La maîtresse, debout devant son tableau, observait Kanimadi et Bandian qui attendaient à la porte de la classe. Elle les regardait sans rien dire, mais avec sévérité. Quand ses yeux se tournèrent vers le seul espace vide de la rangée du milieu, Kanimadi comprit qu'il pouvait entrer et s'installer. Il avança, suivi de Bandian, posa son banc sur le sol en terre et s'assit aussitôt dessus. Bandian fit de même.

La maîtresse se tourna vers le tableau. Tous les élèves avaient observé la scène en souriant. Ce n'était pas la première fois que les deux frères arrivaient en retard à l'école ! Tous savaient pourquoi…

Keita qui était aussi grand que Kanimadi était probablement le plus bavard de la classe. Il parlait beaucoup, mais jamais pour ne rien dire. Il voulait devenir un grand griot* moderne, racontant à la radio toutes les actualités de la terre : les saisons, les guerres, les fêtes et les matchs de foot. Ce n'était pas pour rien que ses amis de l'école et du village de Makono l'avaient surnommé Radio-Kankan. Radio, parce que son rêve était de parler dans le poste et Kankan, parce que c'est dans la grande ville de Kankan qu'est installée la radio avec son antenne qui est peut-être la plus haute du monde...

Keita-Radio-Kankan commenta l'arrivée des deux frères en classe. Il parlait assez fort pour être entendu de presque tous les élèves, mais assez doucement pour que la maîtresse ne s'aperçoive de rien. Avant qu'elle eut terminé d'écrire au tableau, Radio-Kankan avait informé son public :

– Mesdames et messieurs, le fameux Bandian, plus connu sous la juste appellation de Bandian-champion, vient de faire son entrée en classe. Il est accompagné de son grand frère Kanimadi. Tous deux sont allés, n'en doutons pas, chercher et vendre du bois.

Oui, ce bois de Haute-Guinée qu'ils ont ramassé va se transformer en ballon...

Pendant tout son commentaire, Keita tenait son poing fermé à quelques centimètres de sa bouche. Un morceau de ficelle attaché à son poignet imitait le fil d'un micro.

La maîtresse, qui n'avait rien entendu ou qui avait fait semblant de ne rien entendre, s'adressa à toute la classe :

– Il y a des mots et des phrases qui courent comme des joueurs de football. Il y a des mots ballons et aussi des mots buts. Ces mots-là, chacun d'entre vous peut les apprendre et courir avec, loin, loin, loin... Bandian, toi qui connais déjà bien le ballon, voyons si tu connais aussi la craie et le tableau. Lève-toi et fais parler les mots pour que toute la classe les entende. Fais-les parler comme tu fais parler le ballon de chiffon.

Bandian se leva. Il mit les mains derrière le dos, regarda le tableau quelques secondes et commença :

– La voix du feu s'entend,
   Entends la voix de l'eau
   Écoute dans le vent
   Le buisson en sanglots
   C'est le souffle des ancêtres...

Radio-Kankan répéta doucement le poème dans son micro, pour tous ses auditeurs. Il ajouta :

– Oui, c'est le souffle des ancêtres qui, une fois de plus, a poussé Bandian à reprendre sans contrôle le ballon et à marquer le but de la victoire.

Heureusement, quand l'école s'acheva, le soleil n'avait pas encore terminé sa course dans le ciel et la vie continuait. Bandian, Kanimadi et Keita-Radio-Kankan traversèrent le village en courant, sans se soucier de savoir si les vieux croquaient des arachides ou des noix de cola. Arrivés à la concession* de Siaki, ils s'allongèrent près de la clôture du poulailler et reprirent leur souffle. Ils entendirent le marteau frapper l'enclume. Calmement, Siaki, maître du feu et du fer, forgeait un nouveau couteau ou une daba*.

Keita se mit à genoux contre la clôture. Kanimadi comprit. Aussitôt, il se servit du dos de son ami comme d'une haute marche pour franchir la clôture sans trop de difficultés. Bandian écoutait le rythme régulier du marteau sur l'enclume, il l'écoutait et le surveillait. Son cœur battait à toute vitesse, bien plus vite que ne frappait le marteau!

À peine Kanimadi avait-il disparu de l'autre côté de la clôture que l'on entendit des cot... cot... cot affolés. La volaille n'eut pas le temps d'en dire plus, ses vocalises cessèrent d'un coup. Au-dessus de la clôture, en plus d'une plume qui voletait, deux mains apparurent : elles tenaient prisonnière une belle poule blanche. Bandian monta à son tour sur le dos de Radio-Kankan. Il se mit sur la pointe des pieds et se saisit de la poule. Il prit soin avec sa main gauche de lui clouer le bec. Il aurait été trop bête qu'elle donnât l'alerte maintenant qu'elle était prisonnière.

Kanimadi sauta à côté de ses complices.

– Alors?

– Kanimadi, t'es le meilleur attrapeur de poules de Makono, tu mérites une médaille de champion.

Radio-Kankan sortit une ficelle de sa poche. Il en mesura à vue d'œil deux morceaux qu'il coupa avec ses dents. Le premier lui servit à bâillonner la poule, l'autre à lui attacher solidement les deux pattes.

– On peut y aller maintenant?

– On peut, répondit Radio-Kankan.

Ils passèrent devant Siaki qui était toujours au travail en lui adressant les civilités d'usage. Bandian cachait derrière son dos la poule kidnappée. Les trois voleurs de poule filèrent sans trop se faire remarquer jusqu'à la case de Sara. Quand ils arrivèrent, Sara était assis sur ses talons, au milieu d'une peau de buffle. Il parlait à Semba, son totem-éléphant. Ils attendirent que Sara cligne des paupières et ouvre les yeux. C'est Radio-Kankan qui parla le premier.

– Ô Sara soomaa*, nous sommes venus te voir avec ce poulet aux plumes blanches comme du coton, afin que tu passes ta magie à notre grand champion Bandian, pour qu'il devienne vite le champion des champions et… un grand footballeur.

Sara leur sourit. Il fit signe à Bandian de s'allonger.

En habitué, Bandian enleva sa chemise avant de s'étendre de tout son long sur la peau de buffle, entre le totem-éléphant et Sara.

Kanimadi buvait la scène des yeux. Comme s'il voulait capter les secrets du grand féticheur. Radio-Kankan, lui, s'attacha une ficelle au poignet droit et ferma le poing. Son micro ainsi préparé, il commença son reportage :

— Mesdames et messieurs, chers auditeurs, c'est Radio-Kankan en direct du village de Makono, en Haute-Guinée. Je ne vais pas vous raconter les feuilles allongées du mil qui rêvent de devenir grandes comme des feuilles de bananier, ni la touffe d'un rônier* qui, tout en haut, là-bas, embrasse le ciel. Non. Je vais vous parler de Bandian, le champion né un soir de pleine lune, Bandian la gazelle de Makono qui se trouve entre les mains de Sara soomaa. Vous assistez sur le vif à la grande séance de massage qui prépare les bras, la tête, les jambes et les pieds de Bandian-champion, pour que de tout son corps, il marque des buts. Reprise de volée : but ; débordement : but ; grand pont aérien : but. Actuellement, Sara pose ses cauris* de haut en bas sur le corps de Bandian. Chaque cauris est une lettre de l'alphabet secret. Bandian ne bouge pas d'un millimètre et l'écriture des cauris lui rentre dans le corps. Sara parle aux cauris, il parle avec sa bouche, il parle avec son nez, il parle avec ses cheveux et je crois même, mesdames, messieurs, qu'il parle avec ses yeux rouges comme la fleur du kapokier. À présent, Bandian regarde Sara qui retire un à un les cauris qu'il avait disposés sur le corps champion, pour le masser. Il les retire comme des écailles de crocodile, il les retire encore… Il n'en reste plus que onze à présent, exactement comme dans une équipe de foot. Sara recommence à parler. Il continue d'ôter les cauris. Incroyable ! Il ne reste plus à présent qu'un seul cauris. Il est posé sur le ventre de notre champion. Ce cauris bouge chaque fois que Bandian respire, il bouge comme un numéro 10… Hop ! c'est fait, tous les cauris ont été enlevés. Sara pose ses deux mains sur la tête de Bandian… C'est fini. Bandian se relève, il peut partir et courir, lui la gazelle de Makono, plus vite qu'une gazelle du Sahel fuyant devant une panthère…

Radio-Kankan se tut.

Kanimadi qui avait tout vu et tout écouté donna la poule blanche à Sara. Il l'avait bien méritée ! Puis ils partirent.

Quelques enfants sagement alignés, les uns avec une poule ou un poussin, les autres avec des noix de cola ou une portion de riz, attendaient. Tous venaient demander à Sara de les aider. L'un, pour ne plus aller aux champs, l'autre pour grandir plus vite ou pour devenir un grand footballeur…

Bandian, Kanimadi et Radio-Kankan traversèrent Makono en courant et criant. Quand ils arrivèrent de l'autre côté du village, entre les cases et le fleuve, là où la terre rouge est trop piétinée pour laisser pousser un peu d'herbe, ils s'aperçurent qu'une vingtaine de garçons les avaient suivis.

Deux équipes furent improvisées sur-le-champ. La grosse boule de chiffon qui servait de ballon fut bien obligée d'obéir au pied droit et au pied gauche de Bandian. Quand il tira de plus de vingt mètres, pour loger le ballon-chiffon au fond des buts, il entendit les vingt mille spectateurs des tribunes applaudir de leurs quarante mille mains...

La lumière du soleil et le noir de la nuit sont comme deux mi-temps d'un même match, deux mi-temps qui font un peu plus vieillir les villages et la savane.

Le noir de la nuit venait juste de tomber verticalement sur la terre poussiéreuse de la saison sèche. Un peu partout dans Makono, des petites flammes dansaient, éclairant à peine les moustiques. Dans sa case, Bandian parlait à Diène, sa mère.

Diène était toujours allongée et la douceur du soir ne pouvait rien contre la fièvre qui l'habitait. Bandian se demandait à voix haute s'il y avait autant d'oiseaux dans les arbres que d'étoiles dans le ciel d'Afrique… et s'il y avait des matchs de foot là-bas, au loin, au pays des oiseaux. Kani arriva. Sans une seule parole pour Diène, elle déposa au sol une calebasse de riz. Puis elle repartit aussi vite qu'elle était arrivée.

Bandian sourit à Diène.

– Maman, c'est à moi, ton tout petit enfant, de te faire manger.

Il alla à l'entrée de la case et se lava les mains en prenant un peu d'eau dans le grand canari*. Quand ce fut fait, il aida Diène à se soulever et à s'appuyer sur un coude. Ensuite il la fit manger, prenant avec ses doigts le riz de la calebasse pour l'offrir bouchée après bouchée à sa mère. Dans la case, le halo jaune de la lampe à pétrole les serrait tous les deux dans un petit rond de lumière, comme s'ils avaient été pour toujours inséparables.

Après que Diène eut mangé, Bandian la laissa se reposer et sortit vite dans la cour retrouver Kanimadi son grand frère. Ensemble, ils finirent le grand plat de riz, prenant bien soin de l'essuyer avec leurs doigts afin qu'aucun grain ne puisse leur échapper.

– Kanimadi, il faut qu'on ramasse encore beaucoup de kilos de bois pour avoir assez d'argent?

– Oui, des kilos et des kilos de bois. Un vrai ballon en bon cuir bien cousu, c'est plus cher que mille mangues ou mille ananas. On a gagné combien de billets de cent déjà ?

– Attends, je vais chercher la boîte.

Bandian disparut dans sa case. Sans faire plus de bruit que la tête peureuse d'une tortue, il défit un vieux paquet de chiffons qui ressemblait à un ballon de Makono encore inachevé. Il en sortit une boîte métallique un peu cabossée. Elle avait un couvercle qui tenait bien sur lequel on pouvait lire le mot « Guigoz* ».

– Alors, Bandian ?

– Tiens, voici la boîte. Je compte ou tu comptes ?

– Compte d'abord.

Bandian qui était assis par terre prit les billets dans une main et commença à compter... un, deux, trois, quatre, cinq. Vite Kanimadi compta avec lui et ce fut leurs deux voix qui annoncèrent neuf, dix, onze, douze. Arrivés à vingt-trois, ils n'avaient plus de billets à compter. Bandian en souriant reprit les vingt-trois billets et continua à compter comme s'il s'agissait d'une nouvelle liasse. Vingt-quatre, vingt-cinq...

Plus ils comptaient, plus ils étaient heureux, plus ils riaient. Oui, ils étaient riches, richissimes !

Kani, alertée par leur joie, arriva sans prévenir. Du premier coup d'œil, elle vit le petit paquet de billets dans la main de son fils.

– Kanimadi, donne-moi cet argent.

Elle n'avait pas fini de parler que les deux garçons étaient debout, l'un derrière l'autre. Kanimadi, hésitant, faisait face à sa mère. La flamme qui tremblotait dans la lampe de la cour faisait bouger leurs ombres sur le sol.

– Je n'ai pas d'argent.

– J'ai vu les billets. Donne-les-moi.

Kanimadi gardait ses mains derrière son dos. Bandian, qui avait tout de suite compris la situation, récupéra vite les billets. Le magot dans une main, sa boîte dans l'autre, il déguerpit.

– Bandian, reste ici !

Bandian courait. Il traversa le village à toute vitesse. Derrière lui, Kani courait aussi, le plus vite possible. Elle était gênée par son pagne qui entravait sa course. Bandian, lui, était si rapide qu'il était certainement plus difficile à attraper qu'un margouillat*.

Quand il arriva à la hauteur de la dernière case du village, il hésita une seconde. Où aller ? La nuit était noire devant lui… la nuit avec ses frôlements, ses bruits qui grattent et qui glissent, la nuit avec ses vers luisants qui font tomber les étoiles. Il n'eut pas beaucoup de temps pour réfléchir : Kani arrivait. Elle le rattrapait. Il repartit aussi vite qu'une gazelle. Instinctivement, il se dirigea vers son baobab, celui sous lequel il se protégeait du soleil quand il attendait que les bœufs de son père aient bu à la rivière. Il courait devant. Kani courait derrière.

Dans la nuit, il grimpa sans difficulté sur son baobab. Cet arbre était son ami et, perché en haut du tronc, calé au cœur des branches, Bandian n'avait plus peur. Son cœur battait encore un peu vite quand Kani arriva.

Le fin croissant de lune permettait à Bandian de distinguer des formes et de deviner ce qu'elles étaient. Sous le baobab, Kani respirait fort. Elle était encore jeune, mais pas habituée à courir. Ses bras s'activaient plus souvent pour écraser le mil ou le maïs avec le pilon que ses jambes pour courir dans la savane. Les mains sur les hanches, elle essayait de percer la nuit avec ses yeux. Elle voulait deviner si Bandian ne se cachait pas là-bas, derrière la grimace que lui faisait une branche cassée. Elle regardait sans bouger, comme une panthère qui ne veut pas laisser échapper sa proie.

En haut du baobab, Bandian décida d'agir. Il mit sa liasse de billets en sécurité au fond de sa poche et, par-dessus, glissa le couvercle en métal. Ensuite, il appuya la boîte ouverte sur son menton, inspira profondément l'air doux de la nuit et essaya de s'inventer la plus grosse voix du monde. Il commença à parler dans la nuit, du haut de son baobab :

– Ô toi qui cours dans la nuit, sais-tu que tu peux déranger la promenade des ancêtres ?

Kani se figea, plus immobile qu'une pierre. Tout le noir de la nuit pesait sur ses épaules. Elle avait si peur qu'elle ne pouvait même pas bouger un doigt de pied.

Bandian, qui avait eu plaisir à entendre sa grosse voix résonner dans sa boîte comme si elle provenait d'une caverne souterraine, continua :

– La nuit, les femmes folles attirent les termites qui viennent leur gratter les épaules, le ventre et les fesses ! Femme, rentre chez toi et ne sors pas de ta case avant que le coq du matin n'ait pleuré deux fois, sinon ton nez et tes doigts deviendront blancs comme du coton, encore plus blancs que le nez et les doigts des toubabs*.

Bandian se tut. Après quelques secondes, Kani s'enfuit vers le village. Il la vit disparaître, effacée par les herbes de la savane et le noir de la nuit.

Peu après, il descendit de son baobab. Il était un peu craintif. Avait-il offensé le génie de la nuit, en parlant comme il l'avait fait ? Il remit ses billets dans la boîte qu'il ferma comme il faut et regagna sa case sans faire plus de bruit que les petits lézards qui courent la nuit sur les murs.

Ce matin-là, comme chaque matin, le soleil était tout neuf dans le ciel. « On dirait qu'il vient de faire sa toilette dans l'eau du marigot », pensa Bandian.

Assis sur les marches du dispensaire, il entendait Isabelle, le docteur de Médecins sans Frontières, et Sarang, l'infirmière peule. Elles parlaient avec un homme qui n'avait pas envie de faire connaissance avec le vaccin contre le tétanos.

– Mieux vaut une petite piqûre qu'une jambe coupée… non ?

Isabelle, parfois surnommée « madame Aspirine », sortit, suivie de l'infirmière. Toutes deux avaient une blouse blanche. Autour du cou, Isabelle portait son stéthoscope, son gri-gri pour écouter le cœur, disait Sara. Dès qu'elle vit Bandian assis sur les marches, la tête dans les mains, elle alla vers lui.

– Bandian, mon grand, qu'est-ce que tu fais là ?

– Bonjour, madame Isabelle. Je vous attendais.

– Tu es malade ?

– Non.

– Tu voulais peut-être me demander si je connaissais un poulailler avec seulement des poules blanches ?

– Non. Maintenant que vous savez que ce poulailler c'est la bouche pleine de dents, plus la peine de vous poser cette devinette.

– Alors Bandian, monsieur mon ami Bandian, que se passe-t-il ?

Isabelle s'assit elle aussi sur la marche. Son stéthoscope pendouillait... Bandian la regarda. Il la trouva encore plus blanche que d'habitude, blanche mais belle.

– Bandian, tu peux me parler tout bas si tu le veux. Tu peux même me confier un secret.

Bandian hésita. Il leva la tête et, les yeux presque fermés, il essaya de regarder le ballon d'or dans le ciel. Enfin, il se décida à ouvrir la bouche pour dire les mots qu'il avait apportés ici avec lui, pour Isabelle.

— Madame Isabelle, il y a deux choses que je veux vous dire.

— Je t'écoute. Je ferme les yeux pour mieux t'entendre.

Bandian, en confiance, commença :

— Diène, ma mère, est toujours malade. C'est Sara qui la soigne... mais elle tousse toujours et elle a la peau aussi chaude qu'une pierre en plein soleil. Elle est couchée, elle n'arrive pas à tenir debout sur ses jambes. Madame Isabelle, il faut la soigner. Sara, c'est un bon féticheur pour le football, mais pour la fièvre de maman, il n'a pas un assez bon gri-gri.

— C'est vrai que pour le football, c'est un grand féticheur, mais pour les microbes, les virus et pas mal d'autres choses, mes médicaments sont de plus grands champions que ses grigris. Bandian, je vais te donner des cachets pour Diène, mais il faut dire à ton père que je ne peux bien la soigner que si je la vois, ici ou chez toi.

Elle se leva et rentra dans la pièce principale du dispensaire avant de ressortir s'asseoir près de Bandian.

– Voilà, je te donne six comprimés. Tu lui en prépares deux ce soir, dans un peu d'eau, deux demain matin et deux autres demain soir. Mais, il faut absolument que je la voie. Dis à ton père qu'ici, tout est gratuit, les soins comme les médicaments.

– C'est de l'aspirine ?

– Pas tout à fait… mais c'est un peu pareil, tu peux avoir confiance.

– Madame Isabelle, j'ai autre chose à dire.

– Parle, Bandian. J'ai deux oreilles. Tout à l'heure, je t'ai très bien écouté avec mon oreille droite, maintenant je vais t'écouter avec mon oreille gauche, d'accord ? Viens, assieds-toi de l'autre côté.

Bandian s'installa à la gauche d'Isabelle.

– Madame Isabelle, c'est à cause de Kani, la coépouse de mon père. Elle est méchante. Sa voix et ses gestes mordent comme la gueule d'un chien.

– Que t'a-t-elle fait, Bandian ?

– Rien du tout, sauf qu'elle veut prendre l'argent que j'ai gagné.

– Explique-toi.

– Tous les matins, je vais vendre du bois avec mon grand frère. Pour acheter un jour un vrai ballon de foot… On a déjà vingt-trois billets de cent, mais ce n'est pas assez. Kani, l'autre femme de mon père, veut nous prendre nos billets.

Silence. Isabelle regarda ses pieds sans rien dire.

Bandian reprit :

– Madame Isabelle, mon argent, est-ce que vous voulez bien me le garder ?

– Oui, Bandian, je veux bien. Je vais le ranger dans l'armoire à pharmacie, elle ferme bien à clé. Seulement, ne dis rien à personne. Il faut que ce soit notre secret. Je ne veux pas devenir la banque centrale !

Bandian partit en courant. Son argent ne risquait plus rien. C'était encore le matin, et une journée sans école, c'est une journée où il y a mille choses à faire !

Quand il arriva au sommet de la petite colline, il eut l'impression de voir d'un seul coup d'œil le monde entier. Derrière lui, Makono, son village de cases rondes, était paisible. D'où il se trouvait, il n'entendait ni le cot-cot des poules, ni le ploc-ploc des pilons dans les mortiers. Il n'était pas très loin de son arbre. Il sourit en le regardant… son baobab qui parlait la nuit!

Il continua sa course et arriva vite à la hauteur des champs qui longeaient la rivière. À peine avait-il doublé le vieux Sara qui tenait difficilement en équilibre sur son vélo qu'il retrouva tous les garçons. Un ballon de chiffon allait et venait d'un pied à l'autre, plus vite qu'un lièvre dans un champ. Bandian entendit Sara s'adresser à son père :

– Bonjour Moussa, as-tu la paix?

– La paix seulement Sara.

– Et la famille?

– La famille, ça va comme ci comme ça. Diène est toujours malade… mais Kani travaille beaucoup. Elle travaille pour deux.

– Je vois. Elle est très courageuse.

– Heureusement qu'elle a beaucoup de forces, parce que moi, je commence à être vieux. Mes os craquent.

– Moussa, quand ton fils sera le plus grand des champions, il gagnera le ballon d'or. Toi, tu deviendras alors assez riche pour prendre deux autres femmes qui travailleront tes champs.

– Sara, oublie les bêtises des enfants. Oublie leurs histoires de ballon.

– Non, non, Moussa, je n'oublie rien. Il est né un soir de pleine lune. Même le terrible Ninkinanka* n'a pas osé sortir de sa cachette cette nuit-là.

– Sara, la pleine lune, elle ferait bien de venir pleurer un peu dans le fleuve et dans les puits. Il n'y a presque plus d'eau.

Kani, justement, arrosait la terre un peu plus loin. Elle aperçut les garçons qui arrivaient la balle au pied. Elle appela Kanimadi et Bandian :

– Venez m'aider à cueillir les tomates.

5

Après avoir ramassé les tomates, Kanimadi et Bandian durent dégrainer des épis de maïs et nettoyer la cour de la concession. Le vieux Moussa, leur père, avait siesté depuis longtemps déjà quand ils partirent à la recherche de leurs partenaires de foot. Après être sortis du village et avoir dépassé les champs, ils entendirent rire le premier arbre qu'ils rencontrèrent. Quand ils levèrent la tête, ils découvrirent haut perchés trois de leurs amis dont le maître du grand parler sportif : Keita.

Keita-Radio-Kankan avait son éternelle ficelle attachée à son poignet droit et il commentait l'arrivée des deux frères. Il continua pour ses auditeurs des villes et des champs, des rivières et des océans, des plaines et des montagnes :

– Bandian-champion et son grand frère Kanimadi viennent d'arriver à petites foulées. Ils ont cherché pendant des heures un beau ballon au milieu du champ de tomates de leur père mais… aucune graine de ballon n'avait été plantée et ils n'ont cueilli que des tomates rondes comme des fesses de filles et rouges comme la culotte des *Lions Indomptables* du Cameroun. Après, ils ont dégrainé le maïs de leur mère, des grains jaunes comme le maillot des *Lions Indomptables* du Cameroun, mais trop petits pour servir de ballon à un rat de marigot. Pourtant, Bandian le champion de Makono ne perd pas espoir de faire chanter un gros ballon au fond des filets du meilleur gardien de but d'Afrique… d'Europe… du monde.

Bandian et Kanimadi s'étaient allongés sur l'herbe. Dans cette position, ils pouvaient observer les jambes et la tête de Keita et des autres.

Sans plus se soucier de son micro, Radio-Kankan s'adressa à Bandian :

– J'ai six ballons en vrai cuir… un Adidas, un Pelé, un FIFA, un…

– Un Roger Milla ?

– Non, il n'y a aucun Roger Milla.

– C'est tous des ballons de championnat ?
demanda Bandian.

– Oui. Écoute : « Tous les ballons que nous
vous présentons sont homologués pour la
compétition. Ils sont imperméables et exis-
tent en plusieurs couleurs. Nous vous recom-
mandons nos ballons blancs pour les matchs
en nocturne ».

– J'achèterai un ballon blanc homologué,
affirma Bandian.

– Mesdames et messieurs, Bandian a choisi :
il marquera ses buts avec un ballon tout
blanc !

Radio-Kankan et les autres descendirent
de leur perchoir. Ils posèrent sur le sol le
numéro spécial d'*Afro-foot* qui présentait les
nouvelles tenues et la photo couleur de dix
grands joueurs.

– Qui t'a donné ça, Keita ?

Radio-Kankan regarda Kanimadi en riant
aux éclats.

– Personne.

– Ce journal est tombé du ciel?

– Non, Kanimadi, il n'est pas tombé du ciel...

– Alors?

– Alors, je l'ai emprunté, tout seul, exactement comme les poules de Siaki.

– Il appartient à Siaki?

– Non. Je l'ai pris au chauffeur du camion, celui qui était en panne ce matin.

– Tu lui as volé?

– Non, je l'ai aidé à réparer mais il n'avait plus de francs guinéens pour me payer, seulement des jetons* du Mali ou du Sénégal... alors je me suis servi.

– Tu t'es bien servi, vraiment!

Ils regardèrent les formidables photos couleurs. Dix joueurs d'hier et d'aujourd'hui : Chérif Souleymane, le crack de Kindia ; Joseph-Antoine Bell, l'araignée de la Canebière ; Roger Milla, le danseur du dribble ; et Salif Keita... Boli... Bocandé... Fofana...

– Pour qu'une équipe gagne, il faut un jeu collectif, alors on partage les images, déclara Radio-Kankan.

– Non, on ne va pas déchirer les pages d'*Afro-foot*.

— Demain je demanderai à madame Isabelle, le docteur sans frontières, de nous prêter ses ciseaux et je découperai chaque joueur si vous voulez, proposa Bandian.

Tous furent d'accord. C'est sans trop se presser qu'ils regagnèrent Makono. Radio-Kankan alla ranger son précieux journal et retrouva la bande à l'entrée de Kankan. Ils avaient décidé de fouiller le marché pour voir si par hasard un vendeur de nyama-nyama* n'aurait pas sur son étal, au milieu des chemises, boubous*, piles électriques, vis et clous, un ballon en cuir...

C'était presque la fin de l'après-midi, mais le marché battait encore son plein. L'orchestre des machines à coudre faisait entendre ses mélodies. Radio-Kankan, Kanimadi, Bandian et les autres regardèrent en passant les couturiers piquer les boubous bleu indigo du Fouta-Djalon*.

Le marché, c'est l'endroit d'Afrique, avec le terrain de football, où l'on voit le plus de monde.

La marchande de gombos* frais, pour la sauce, ne vendait pas de ballon ; la marchande de pintades et d'ananas ne vendait pas de ballon... Bandian s'adressa à un cordonnier :

— Bonjour, est-ce que vous pourriez coudre un ballon ?

— Oui, bien sûr.

— Un vrai ballon de compétition, un ballon homologué ?

— Ah ça non.

— Dommage, il me faut un ballon homologué.

Bandian rejoignit les autres qui discutaient avec un mécanicien spécialiste en réparation de vélos.

— ... Oui, un ballon en cuir je peux en avoir un.

— Un vrai homologué pour la compétition ?

— Oui, un vrai, homologué, bien rond... je peux en ramener un de Conakry.

— C'est combien ?

Bandian et les autres regardèrent le mécanicien réfléchir.

— Deux cent trente ou deux cent cinquante mille francs.

— Des francs comment ? Des guinéens ou des CFA* ?

— Des guinéens.

Bandian n'en croyait pas ses oreilles, deux cent cinquante mille francs ! Lui et Kanimadi en avaient seulement deux mille trois cents. Ils étaient loin du compte. Ils quittèrent le marché à reculons. Bandian s'arrêta près d'une marchande de beignets de haricot. Il regarda l'huile qui chantait dans la bassine. À quoi pensait-il ? Peut-être à un ballon qui naîtrait tout chaud tout beau d'une bassine d'huile dans laquelle on aurait jeté une boule de pâte de haricot.

Bandian se réveilla en sursaut. Il venait de faire un drôle de rêve : une termitière géante avait explosé, frappée par la foudre. Les termites affolés partaient de tous les côtés et entraient par milliers dans le village de Makono. Ils se cachaient dans les cheveux, sous les chemises et les pagnes… Ouf! Ce n'était qu'un rêve, mais les esprits de la nuit avaient vraiment exagéré !

Bandian se leva avec une prudence de caméléon. Comme chaque matin, il alla voir si la santé de Diène était revenue. Non, elle toussait encore et toujours. Bandian mouilla un morceau de pagne dans l'eau du canari pour la rafraîchir un peu. Après, sans rien dire, il alla vers la calebasse commune prendre sa part de bouillie de mil délayée dans du lait caillé.

C'est sans rien dire aussi qu'il mangea. Il ne répondit pas aux plaisanteries de son frère. Après avoir servi Diène, il prit son sac et se dirigea vers l'école. Kanimadi le rattrapa.

– Bandian, tu vas où par là ?

Il continua comme s'il n'avait rien entendu.

– Bandian, et le bois ? Tu crois qu'il va se ramasser tout seul ?

Bandian continuait à marcher comme si Kanimadi était un esprit invisible et muet. Il fallut vraiment que son frère le secoue encore plus qu'un singe qui se gratte pour qu'il accepte de parler.

– Kanimadi, c'est pas la peine de ramasser du bois, on n'aura jamais assez pour acheter un vrai ballon.

– Bandian, t'es plus fou qu'un fou…

– On l'aura jamais le ballon, je sais bien qu'on l'aura jamais…

– Bandian mon frère, t'as déjà vu un Malinké* rester sur une rive sans traverser le fleuve ? T'as déjà vu un Malinké croire qu'une poule qui ne se lave pas pond des œufs noirs ? Bandian, avec ta tête et tes jambes plus ma tête et mes jambes, on l'aura ce ballon, c'est obligé. Je sais qu'on l'aura.

Bandian continua seul sur la piste. Kanimadi partit en courant chercher leur banc. Quand il retrouva son frère à l'entrée de l'école, il lui répéta :

— On l'aura ce ballon en cuir, c'est obligé !

Quand les élèves s'alignèrent pour entrer en classe, Keita-Radio-Kankan déclara assez fort pour être entendu :

— Chers auditeurs, aujourd'hui Bandian est arrivé le premier à l'école. Il est à l'heure pour le coup d'envoi que va donner la maîtresse.

Les cinquante-cinq élèves de la classe se serrèrent sur leurs bancs. Quand le silence complet fut établi dans la classe, la maîtresse écrivit au tableau :

*La petite hache va abattre
un grand fromager*[*].

La maîtresse s'assit sur sa chaise et regarda ses élèves garçons et filles qui lisaient en silence les quelques mots qu'elle venait d'écrire.

— Qui veut commenter cette phrase ? demanda-t-elle.

Seul Radio-Kankan leva le doigt.

— Monsieur Keita, aujourd'hui j'aimerais entendre une autre voix que la vôtre.

Comme personne ne levait la main, la maîtresse désigna Mariama. C'était difficile de parler, difficile de parler à la place des mots. Mariama commença :

— C'est une petite hache qui n'a pas peur d'un grand fromager.

— C'est bien Mariama, assieds-toi. Oui, c'est une petite hache qui n'a pas peur. Comme cette petite hache, avec persévérance et courage, vous pourrez arriver vous aussi à obtenir ce que vous souhaitez.

Radio-Kankan leva la main. La maîtresse lui fit signe qu'il pouvait parler. Il se mit debout et, mains derrière le dos, demanda :

— Est-ce qu'avec persévérance et courage on peut obtenir un ballon homologué, très cher ?

La maîtresse réfléchit un instant. Elle se leva et inscrivit à la suite de la première phrase :

*Une petite hache peut abattre
un grand fromager,
un garçon courageux peut acheter
un vrai ballon homologué.*

Sans demander la parole, Bandian dit :
— C'est trop cher !

La maîtresse posa des questions aux élèves et connut bientôt tous les prix. Elle demanda à chaque élève de prendre son cahier et de copier le problème dont elle écrivit le texte au tableau :

Sachant qu'un vrai ballon de football homologué coûte 250 000 francs guinéens et que Bandian, aidé de son frère, gagne en moyenne 400 francs guinéens par jour de ramassage de bois, combien de jours lui faudra-t-il travailler pour obtenir son ballon ?

Les élèves commencèrent leur opération sur leur ardoise. C'était difficile, une division avec des zéros partout... Comme toujours, Radio-Kankan leva la main avant les autres.

– Tu as terminé ?

– Oui, mais je voudrais savoir quelque chose : le résultat, il faut le marquer en jours, en semaines, en mois, en années... ou en siècles ?

– Keita, tu n'es vraiment pas drôle. À présent, tais-toi.

Quand tout le monde eut terminé, la maîtresse fit l'opération au tableau et trouva 625 jours.

Une fois de plus, Bandian se leva très tôt, exactement comme un paysan qui se hâte d'aller applaudir sa récolte. Diène dormait sans tousser. Les comprimés donnés par Isabelle étaient de bonne qualité.

Il sortit dans la cour de la concession sans faire de bruit. Il regarda le ciel encore noir et vit une étoile tomber en rayant l'espace. C'était certainement un signe. Une étoile d'or venait de descendre sur la terre, de rouler quelque part dans la brousse, une étoile venue sur terre pour ajouter toute sa lumière aux forces de Bandian. Oui, une étoile était tombée pour le faire grandir lui, le champion de Makono.

Bandian entendit son père faire ses ablutions. Quelques instants plus tard, il comprit qu'il s'était agenouillé pour sa première prière. Il partit en courant. Avant même que Kanimadi ne soit réveillé, oui, il aurait ramassé et ramené un bon fagot.

Bandian trouva vite quelques grosses branches à son goût. Il les lia et mit son fagot sur sa tête. Il revint en marchant avec la fierté d'un prince rapportant de la guerre un trophée magnifique. Il marchait pieds nus sur la terre rouge. Sur sa tête, les branches sèches et blanches ressemblaient au bras tendu d'un génie qui aurait indiqué le point de penalty où trouver le ballon d'or de la vie.

Bandian aperçut Makono. Il accéléra le pas. Quand il entendit ronfler un moteur derrière lui, il se mit sur le côté et s'arrêta. Un nuage de poussière semblait pousser le 4x4 d'Isabelle. Elle le doubla et s'arrêta. Il fit quelques pas et se retrouva à sa hauteur. Elle baissa sa vitre et, en guise de bonjour, lui fit un grand sourire. Il remarqua que toutes les poules de son poulailler étaient toujours bien blanches et bien alignées.

– Bonjour Bandian.

– Bonjour, madame Isabelle.

– Déjà au travail ?

– Oui…

– Bandian, j'ai quelque chose pour toi.

Elle se pencha à l'intérieur de son véhicule et sortit un ballon : un vrai, un ballon cousu, en cuir.

– Tiens Bandian, c'est pour toi. Il n'est pas neuf. Il est même un peu usé mais il ne demande qu'à recevoir des coups de pied !

Bandian prit le ballon sans rien dire. De sa main droite, il retenait les branches sur sa tête. De l'autre, il serrait le ballon contre sa poitrine.

Isabelle lui fit un clin d'œil et démarra. Il n'avait rien dit. Quand le 4x4 disparut derrière le village, il réussit à articuler : merci.

Si un des tisserins qui s'agitaient autour des tamariniers avait été assez curieux pour regarder à ce moment-là, il aurait vu une larme d'émotion et de bonheur couler de ses yeux. Une petite larme. Chacun sait que les grosses larmes ne coulent que des grosses têtes !

Depuis trois jours, pour Bandian, c'était comme si le soleil ne se couchait plus. Qu'il fasse nuit ou qu'il fasse jour, il pensait sans cesse à son ballon. Ses rêves éveillés du jour ou ses rêves endormis de la nuit étaient tous habités par son beau ballon.

C'est vrai que le cuir de son ballon était un peu usé, mais un ballon, un vrai, peut faire peau neuve. On peut le laver pour qu'il brille plus. On peut... on peut même le peindre ! Oui, le peindre, c'est possible. C'est d'ailleurs ce que décida Bandian.

– Kanimadi, mon ballon, il faut le peindre. Il sera plus beau, plus neuf.

– Tu veux le peindre de quelle couleur ?

– Couleur or.

– Or ? C'est pas possible. De l'or liquide, de l'or qui coule comme de la peinture pour les pinceaux, il n'y a que Siaki qui en a. L'or ici, c'est pas à n'importe qui qu'il est confié. Et Siaki cache trop bien les métaux qu'il doit fondre pour qu'on lui prenne quelques gouttes d'or… Mais, on peut essayer avec du miel sauvage.

– Du miel ?

– Le miel c'est de la même couleur que l'or.

– Kanimadi, le miel c'est collant. Si tu mets du miel sur le ballon, inutile d'essayer de faire une passe ou de marquer un but. Il restera collé à ton pied.

– Alors il faut un petit pot de peinture. Il faut dépenser un peu de notre argent. Va chercher deux cents francs, ce sera assez.

– C'est pas possible, l'argent est dans une cachette, pour l'instant…

– On peut chercher la peinture. On paiera demain.

– C'est possible ?

– C'est pas impossible !

Kanimadi avait raison. Au marché de Kankan, Alhassane Diallo leur fit crédit. Il leur versa dans une vieille boîte de Coca dont il avait découpé tout le dessus deux mesures de peinture bleue. De la peinture prévue pour les surfaces métalliques, disait l'étiquette du grand pot. Si cette peinture-là était d'assez bonne qualité pour se marier avec du fer, aucun doute, elle embellirait très bien le cuir si souple et si doux du ballon.

Bandian et Kanimadi passèrent deux couches. Le ballon bleu était une vraie boule de ciel. Pour qu'il sèche bien, Bandian le posa sur une petite calebasse. On aurait dit un trophée gagné en finale...

– Kanimadi, merci de m'avoir aidé à peindre mon ballon. Merci et merci. Dans le village, il y a des familles qui ont un totem-léopard ou même un totem-buffle-génie. Moi, maintenant, j'ai un totem-ballon. C'est à lui que je parlerai. Mon totem-ballon a l'oreille de la brousse et du ciel. Il entend le visible et l'invisible. Il m'apprendra les feintes visibles et les feintes invisibles pour marquer des buts.

Quand ce fut le milieu de l'après-midi, Bandian décida que le ballon était assez sec et que l'on pouvait commencer à jouer.

Il déboula avec Kanimadi au milieu du village. Aussitôt, ils furent entourés de tous les garçons. La danse des passes commença entre les cases. Radio-Kankan était de la partie, ce qui ne l'empêchait pas de commenter les actions. Il voulut même interviewer Sara qui parlait avec Siaki. Il fut mal reçu. Siaki demandait justement à Sara une explication sur l'étrange disparition de ses poules blanches.

Tous les garçons allaient et venaient, courant et zigzaguant pour toucher le ballon. Ils étaient si nombreux à présent que l'on respirait plus l'air rouge de poussière que l'air bleu du ciel.

– BUT!

D'un coup de pied arrêté, Bandian avait passé le ballon juste entre les cornes d'un zébu qui s'était aventuré et perdu par là en cherchant un peu de bonne herbe.

Ce fut trop de cris. La joie de tous les garçons débordait. Radio-Kankan hurlait pour ses auditeurs :

– Bandian a marqué un but-zébu, un but-zébu…

Tous les joueurs se mirent à chanter, crier, danser :

– But-zébu! But-zébu! But-zébu!

Pour Siaki, obligé de travailler à sa forge au milieu des cris, des rires, des danses et de la poussière, ce fut trop. Il se leva brusquement, tenant à la main de longues tenailles fermées sur un morceau de métal rougeoyant. Il fit deux pas en hurlant :

– Assez ! Bâtards que vous êtes tous ! Assez ! Ça suffit, fils de chiens !

Comme par enchantement, à ce moment-là, le ballon qui était passé entre les cornes atterrit, lancé par une main amie, juste dans les pieds de Bandian. Aïe ! Sans tenir compte des criailleries du forgeron maître du feu, Bandian tira et aïe ! aïe ! le ballon partit comme un boulet de canon dans la tête de Siaki : en pleine tête.

Bandian avait tiré si fort que le forgeron s'écroula. Ses tenailles et son métal rouge voltigèrent. Était-il mort ? Tous les footballeurs se débandèrent, sauf Kanimadi qui récupéra le ballon, Bandian qui n'en revenait pas d'avoir assommé le forgeron et Radio-Kankan qui restait là pour informer ses auditeurs. À peine Siaki se trouva-t-il allongé sur la terre, que Sara se pencha sur lui pour dire les mots qu'il fallait et faire les premiers gestes qui redonnent de la force au sang pour qu'il continue à voyager dans les veines.

Kani arriva, comme par surprise. Elle n'avait probablement pas vu toute la scène, mais elle se mit à crier après Bandian.

– Je t'ai vu, tu as essayé de tuer Siaki. C'est toi. Tu n'es qu'une chiure de charognard, un assassin !

Celle-là, avec sa bouche toujours encombrée de méchancetés, hurlait assez fort pour se faire entendre jusqu'au mont Nimba, certainement.

– Bandian voleur… tu as volé ce ballon.

– Non, il ne l'a pas volé, non.

Les voix de Kanimadi et de Radio-Kankan se firent entendre ensemble. Bandian qui avait retrouvé ses esprits se défendit à son tour.

– Non, je ne l'ai pas volé. C'est Isabelle, le docteur, qui me l'a donné.

Kani n'écoutait rien ni personne. Elle prit d'autorité le ballon que tenait Kanimadi et déclara :

– Bandian menteur ! Voleur ! Tu finiras assassin. Je prends le ballon, je le garde, tu ne l'auras plus.

Sur ces mots, elle repartit. Radio-Kankan se mit à crier des aaah !… des oooh !… sans pouvoir articuler un seul mot en entier. Il tendit son bras comme une flèche. Bandian et

Kanimadi regardèrent et virent juste derrière Sara et Siaki qui s'était relevé, une très grande flamme qui s'élevait : le feu !

L'outil rougeoyant que forgeait Siaki avait voltigé sur les seccos* qui protégeaient sa cour du vent. La paille de mil brûlait avec joie. Elle avait déjà enflammé les deux cases voisines. Les hommes et les femmes se précipitèrent avec des bâtons et des cris. Il est difficile d'éteindre le feu avec des cris et des bâtons…

Tandis que Kanimadi et Radio-Kankan luttaient avec les autres contre l'incendie, Bandian poursuivait Kani. Il la vit entrer avec le ballon dans la case de Moussa, son père à lui. C'était la case où tous les fétiches* de tous les ancêtres se reposaient. Quand elle sortit, les mains vides, elle ferma à clé le cadenas. Elle vit Bandian.

Ce dernier, fou de rage, se précipita sur la porte de la case et, au risque de troubler le repos des fétiches, frappa des poings et des pieds les vieilles planches de la porte. Presque tout de suite, le bois usé et rongé se déjointa. La porte céda. Bandian se précipita, récupéra son ballon bleu et partit en courant.

— Bandian voleur, assassin, tu vas voir… fils éhonté, ton père va te chicotter* l'échine !

Bandian était déjà loin. C'est la voix de Diène qui intervint. Elle était debout, dehors, appuyée sur le mur en banco* de sa case.

– Laisse mon fils, mauvaise femme. Ne le salis pas avec tes mots. Laisse mon fils. Ce n'est pas un voleur et, malgré toi, la voie de son destin sera belle.

Bandian était parti. Tous les habitants du village de Makono étaient accourus, délaissant leurs champs. La fumée et les flammes les avaient alertés.

Heureusement, seule la concession de Siaki avait brûlé, plus le toit en chapeau de deux greniers à mil. Siaki, armé d'un couteau plus long certainement que tous les couteaux forgés dans le Mandingue depuis la naissance du premier soleil, courait comme un fou entre les cases. Il cherchait Bandian en rugissant comme un lion blessé. De sa bouche édentée sortaient des mots et des morceaux de phrases. Il se parlait peut-être à lui-même ou au ciel ou à la terre en répétant :

– Remue-toi Farakaroun*… maître du feu… maître du fer…

Bandian était déjà loin. Après un long détour, il avait longé le fleuve et était revenu vers son baobab pour s'y réfugier. Ce baobab-là, qu'il avait fait parler la nuit, pouvait, entre ses branches et son pain de singe*, le cacher pendant le jour.

Le ballon était coincé en sûreté entre deux branches. Peu à peu, le cœur de Bandian se mit à battre simplement, comme un cœur qui n'a plus peur. Le soleil était bas dans le ciel. Il s'apprêtait à partir de l'autre côté de la terre, dédaignant Makono, comme s'il n'y avait plus rien à y voir.

Du haut de son arbre, Bandian s'entendit appeler de loin. Il ne bougea pas. Bientôt, il reconnut les voix de Kanimadi et de Radio-Kankan. Ils connaissaient les quelques cachettes où Bandian venait se réfugier. Ils se doutaient bien que, dans une situation aussi grave, Bandian avait dû choisir son baobab.

– Bandian ! Bandian !

– Je suis là, ici, en haut.

Bandian se pencha. Tout de suite Kanimadi et Radio-Kankan aperçurent son visage dans le jour finissant.

– Bandian ! Sauve-toi ! Siaki est devenu fou. Il te cherche, il veut te tuer avec son couteau et sa hache.

C'était le soir, quelques lucioles commençaient çà et là à faire les folles en traçant des lignes de feu dans l'air. Bandian, qui était trop jeune pour avoir appris la sorcellerie ou *Le Coran*, n'avait personne ni aucune force magique pour le protéger de la nuit à venir. Quand il fut certain que l'ombre de Siaki ne se cachait pas dans l'herbe à l'entour de son baobab, il descendit. Il savait ce qu'il devait faire avant de se sauver le plus loin possible : voir Isabelle et récupérer ses économies, ses vingt-trois billets de cent francs guinéens.

Le dispensaire était de l'autre côté du village, presque en haut d'une colline. Avec la légèreté et l'assurance d'un cabri, Bandian suivit le fleuve pour rester à distance du village. Il préférait faire un détour pour être certain de ne rencontrer personne et surtout pas un couteau long et fin de forgeron! La lune au ciel en était à son premier quartier. Elle éclairait un peu, mais un peu c'est trop et pas assez quand on a peur d'être vu dans la nuit et peur de ne pas tout voir dans la nuit.

Bien avant d'arriver à la maison du dispensaire, il fut rassuré par la lumière électrique qui brillait. Les médecins avaient un groupe* qui leur fournissait de l'électricité et... de la lumière. Quand il entendit une simple musique blanche qui coulait doucement comme un filet d'eau aminci par la saison sèche, il eut un peu peur. Déranger la musique et déranger la parole qui vivaient sous la lumière, c'était délicat.

Bandian s'approcha à petits pas mesurés, la tête rentrée dans les épaules, son ballon sous le bras. Au pied des trois marches, il vit par la porte ouverte une dizaine de toubabs hommes et femmes, assis sur des chaises autour d'une table. Ils parlaient. Ils mangeaient. Ils écoutaient leur musique.

Il était là depuis une bonne minute quand Isabelle l'aperçut. Elle se leva et, souriante, vint vers lui. Par-dessus son jean, elle portait une tunique de boubou indigo bien amidonnée. Ses cheveux raides et blonds bougeaient plus que sa tête quand elle marchait. On aurait dit qu'ils voulaient donner des bonjours de courtoisie à tout le paysage.

– Bandian ! Mon ami Bandian, qu'est-ce que tu fais ici à cette heure ?

Bandian sourit à son tour. Ce fut sa seule réponse. Isabelle vit le ballon.

– Tu venais me montrer ton ballon ?

– Oui...

Elle prit le ballon, entra dans la pièce éclairée et s'exclama pour tous les autres et pour Bandian :

– Quel ballon ! Superbe ! Il est rond et bleu et beau.

Elle le posa sur sa tête et le tint en équilibre deux secondes. Les autres applaudirent.

– Bandian, c'est toi qui l'as peint ?

– Oui...

– Bravo et fé-li-ci-ta-tions.

Elle posa le ballon au milieu de la table et l'admira encore. Bandian écarquilla les yeux, ne sachant trop quelle attitude adopter.

– Tu as mangé ? demanda Isabelle.

– Non...

– Assieds-toi là.

Bandian obéit. Isabelle lui donna une assiette et le servit. Sans rien dire et sans même écouter les autres, il avala du bon couscous sauce mouton et dégusta ensuite du sucre et des beignets, en buvant du lait.

Après avoir terminé son assiette, il se leva et se pencha vers Isabelle.

– Merci pour le ballon... merci pour le couscous.

– Bandian, tout cela ce n'est rien. Tu es mon ami.

– Madame Isabelle, est-ce que je peux avoir mon argent ? Je dois acheter un cadeau demain matin à mon père.

– O.K., attends un instant.

Elle prit la clé qui pendait à son cou, ouvrit l'armoire à pharmacie et donna à Bandian ses vingt-trois billets.

– Merci.

– Tu rentres ? Je t'accompagne.

– Non. Je dors là, à côté, chez mon oncle. Je vais lui montrer mon ballon.

– Bien, alors au revoir Bandian.

– Au revoir madame Isabelle... Madame Isabelle, il faut penser à s'occuper très bien de maman pour qu'elle guérisse.

– Ne crains rien, Bandian. Je vais m'occuper de ta maman comme de la mienne.

Bandian partit. Il n'alla pas chez son oncle. Il gagna la piste qui s'en allait vers Moribaya. C'était une route autrefois, mais elle avait tellement de trous qu'elle était redevenue une piste! Il marchait, se méfiant de chaque touffe d'herbe, de chaque branche d'arbre. S'il le cherchait encore, Siaki devait guetter de l'autre côté. N'importe qui s'enfuyant serait parti vers Kouroussa… chercher une place dans le train.

Les véhicules étaient rares. Dans la nuit, Bandian pensait à Siaki et aussi à Diène, sa mère. Heureusement, Siaki n'était pas mort en tombant à terre après le coup de ballon. Heureusement, il n'avait pas péri dans les flammes de l'incendie. Les obsèques d'un forgeron malinké sont compliquées, il vaut mieux que les forgerons ne meurent pas trop souvent, se dit-il.

Un camion arriva. Un seul de ses phares éclairait. Bandian fit signe. Le chauffeur s'arrêta et Bandian choisit de grimper près de lui, dans la cabine. Il aurait pu aller s'installer à l'arrière, sur les sacs, comme les trois ou quatre autres passagers, mais il n'était pas encore fatigué.

Après une heure de route, Bandian avait déjà donné deux fois de l'eau au moteur... et une fois un coup de pied au seul phare qui voulait bien éclairer un peu. De temps en temps, ce phare perdait le contact avec la batterie et la nuit noire éteignait d'un seul coup le paysage. Le chauffeur mastiquait un chewing-gum.

– Petit, veux-tu être mon apprenti ?

– C'est facile ou c'est difficile ?

– C'est facile, mais il faut m'appeler patron.

Bandian ne répondit pas. Un kilomètre plus loin, le chauffeur reposa la question. À moitié endormi, Bandian répondit :

– Oui, patron.

À peine avait-il répondu que le camion tomba en panne. Le chauffeur descendit jeter un coup d'œil à son moteur. Il n'eut pas besoin de l'inspecter beaucoup pour s'apercevoir que c'était grave. Le bricolage qu'il avait fait trois cents kilomètres plus tôt, en partant de Bougouni, venait de céder.

– Bandian, je m'en doutais... le mercredi est un mauvais jour pour voyager. Garde le camion. Garde-le bien et encore mieux. Je repars à pied vers le village qu'on a traversé tout à l'heure. Il y a peut-être là-bas un téléphone... ou une radio... ou un mécanicien.

– Oui, patron.

Les quatre passagers de l'arrière partirent avec le chauffeur. Regagner le village à deux ou trois kilomètres leur semblait plus sûr. D'un seul coup, Bandian se retrouva seul dans la nuit. Seul avec son ballon. Il regarda autour de lui et aperçut des silhouettes toutes maigres. Il eut peur. Étaient-ce des bandits qui allaient l'attaquer ? Il fallut que le quartier de lune pointe bien son peu de lumière devant les yeux de Bandian pour qu'il distingue mieux et comprenne. Les silhouettes n'étaient pas des bandits, mais des tiges de mil, des tiges oubliées. Chacune était comme un doigt pointé vers une étoile du ciel. Dans le paysage, il y avait au moins cent tiges, cent doigts qui désignaient cent étoiles.

Bandian s'assit sous le camion pour essayer de dormir un peu. Il prit bien soin de ne pas s'allonger. Il savait depuis longtemps que celui qui dort sur le dos, dans la brousse, peut se réveiller en pissant dans le ciel. Mais il y a des nuits qui sentent la panthère, des nuits comme celle-là qui ne laissent pas venir le sommeil.

Bandian resta sans bouger, appuyé contre une des roues géantes du camion. Il vit un œil naître au loin dans la nuit et venir sur lui… vers lui… doucement, en prenant son temps. Il se fit tout petit. Il se ramassa sur lui-même comme un vautour en sommeil. L'œil approchait. Était-ce l'œil de Siaki qui arrivait armé d'un couteau ? Était-ce une étoile détachée du ciel qui venait lui rendre le feu qui avait brûlé la concession du forgeron et le toit des greniers à mil ? Bandian avait peur. Son corps se durcit autant qu'une pierre. L'œil approchait et lui ne pouvait faire aucun geste, pétrifié qu'il était.

Quand l'œil qui le visait arriva sur lui, Bandian ferma les yeux et serra plus fort son ballon contre lui. BING ! L'œil s'éteignit et, au moment où sa lumière fut comme tranchée du monde vivant, Bandian entendit :

– AAOOAOH... Aïe ! Qu'est-ce qu'il fait là celui-là... Aïe !

L'œil se ralluma quelques instants après. Bandian avait eu peur du simple phare d'un vélo dans la nuit.

Au matin, le soleil fit d'un seul coup le ménage du ciel. Il rangea la nuit dans sa boîte et avala les étoiles. Bandian était toujours seul. Puisque personne n'était revenu et puisqu'il n'était pas le jumeau du camion en panne, il décida de partir sur la piste.

Quand il entendit au loin un moteur, il se mit au milieu de la piste. Il serra son ballon entre ses genoux et écarta les bras. Le camion arriva, chargé jusqu'à la gueule. Il s'arrêta. Le chauffeur sortit sa tête de la cabine.

– Que tu sois un génie ou un être humain, pousse-toi de là que je passe sans t'écraser.

– Je ne suis pas un génie. Vous pouvez m'emmener ?

– Où ?

– Au bout de la piste.

– Je ne vais pas jusqu'au bout.

– Vous pouvez m'emmener un peu ?

– Monte.

Cinq minutes plus tard, malgré les bosses de la piste, Bandian dormait aussi bien que sur sa natte.

Combien de temps dormit-il ? Il ne pourrait jamais le dire. Ce qui est sûr, c'est que le chauffeur le secoua plusieurs fois avant qu'il n'ouvre les yeux.

– On est arrivés, descends.

– On est où ?

– À Kissidougou.

Sans réfléchir, Bandian partit droit devant lui, avec son ballon sous le bras. Vélos, mobylettes, autos circulaient de tous les côtés à la fois. La ville était vivante et les mouches, bien dansantes et à l'aise malgré la chaleur humide, attaquaient des rognures dédaignées par les chiens. Bandian s'arrêta près d'une marchande qui vendait dans ses trois bassines de quoi nourrir toute une équipe de champions.

Après avoir un peu hésité, il choisit des beignets de riz trempés dans la sauce. Il s'assit sur un petit banc de bois pour les consommer sur place. C'était bon et la marchande lui avait rendu plusieurs pièces en échange de son billet de cent.

Les garçons, les filles et les animaux de la brousse ont en commun d'être de bonne humeur, en général, après un bon repas. Bandian, qui avait bien mangé, partit en sautant sur un pied et sur deux... Il échangea une de ses pièces contre deux bananes géantes et une grande calebassée d'eau fraîche. C'était l'après-midi. Ses jambes et ses pieds, auxquels il n'avait indiqué aucune direction précise, le menèrent vers les cris d'une foule qui se pressait autour d'un match de football.

Bandian mit cinq minutes à gagner le premier rang, près de la ligne de touche. Il s'assit sur la terre, jambes croisées, tenant fermement son ballon. Le terrain était sec et sans herbe. Il y avait une équipe verte et une équipe blanche, mais tous les joueurs avaient leur maillot rouge de poussière. Très vite, Bandian apprit que c'était l'équipe du quartier Koko qui affrontait l'équipe du quartier Préfecture. Préfecture menait un but à zéro et dominait de la tête, des bras, des épaules et des pieds. L'arbitre siffla la mi-temps. Ouf, il était temps. Quartier Koko allait pouvoir reprendre son souffle. Les joueurs s'aspergeaient d'eau. Aucun spectateur ne bougeait, de peur de se faire voler sa place.

Bandian trouva astucieux l'aménagement des buts. Les montants étaient plantés dans des bidons remplis de terre ! À un bout du terrain, pas très loin du but, à hauteur de la ligne des seize mètres, il y avait une belle Mercedes blanche. Là où elle était, elle pouvait recevoir un ballon perdu, en pleine tête comme Siaki, pensa Bandian. Pour posséder une Mercedes comme cela, il fallait vraiment être un quelqu'un ! Le propriétaire était certainement l'homme presque blanc qui tournait autour, avec une petite caméra vissée à l'œil droit. Celui-là filmait sa voiture mais surtout deux jeunes filles, l'une assise sur le capot comme une miss, l'autre négligemment appuyée à une portière. C'est sans doute parce qu'elles étaient très belles qu'il les filmait beaucoup.

L'arbitre siffla. Les joueurs reprirent leur place sur le terrain. L'arbitre siffla deux, trois, quatre fois ? Rien ne se passa. Il sortit du terrain aussi énervé qu'une pintade égarée au milieu de poules. Quelques secondes plus tard, Bandian et toute la foule comprirent ce qui se passait : le ballon du match avait disparu. Un voleur bien avisé avait profité de la mi-temps et aussi de tous les regards tournés vers les deux beautés peules et la Mercedes blanche. Comment jouer sans ballon ?

Les joueurs attendaient. L'arbitre palabrait avec les chefs managers de chaque équipe. Qui désigna Bandian et son ballon ? Personne peut-être… ou quelqu'un peut-être… ou quelque chose… Dès que l'arbitre vit le ballon bleu attendant sagement entre les jambes de Bandian, il voulut s'en emparer. Bandian ne se laissa pas faire. Il n'avait pas fui Makono avec son ballon pour se le faire subtiliser ici.

– C'est mon ballon, je ne le donne pas, je ne le prête pas.

– Donne, c'est un ordre.

– Non.

– Donne ou j'appelle la police.

– Non. Je le prête, mais seulement si je joue.

L'arbitre, habitué à prendre ses décisions dans l'instant, ne réfléchit pas davantage et dit : d'accord. Il demanda au dirigeant de l'équipe du quartier Koko de faire sortir son plus mauvais joueur. C'était la seule chance de Koko de gagner le match, sinon l'arbitre arrêtait tout et le score en resterait là : un à zéro en faveur de quartier Préfecture.

C'est un ailier qui sortit. Il donna son maillot à Bandian qui entra avec son ballon sur le terrain, sous les hurlements de joie du public. Le spectacle prenait une nouvelle tournure. Un match de foot, c'est toujours deux mi-temps qui se ressemblent comme les deux tranches d'une noix de cola. Cette fois, c'était différent, un joueur d'une équipe était si petit et si jeune qu'on croyait voir une petite grenouille au milieu de vingt crapauds-buffles.

L'arbitre donna le coup d'envoi. Pendant les premières minutes, Bandian fut un peu bousculé. Il lui manquait au moins cinquante centimètres et quarante kilos pour lutter à armes égales. Mais il se souvint qu'il était la gazelle de Makono, qu'il était le roi du dribble et, tout à coup, bénéficiant d'une balle de contre, il partit seul à l'attaque. Il franchit un premier et un deuxième défenseurs aussi allégrement que si ses jambes avaient été montées sur des amortisseurs de Mercedes. Le propriétaire de la Mercedes justement ne filmait plus ses belles amies, mais Bandian. Acculé au bord des seize mètres, le dernier défenseur de l'équipe du quartier Préfecture comprit que Bandian allait passer. Alors, il le bouscula d'une ruade d'épaule et Bandian alla mordre la poussière rouge.

L'arbitre siffla. Le public hurla. L'arbitre sortit un carton jaune. Bandian bénéficia d'un coup franc direct. L'arbitre réussit à mettre le mur de quartier Préfecture à peu près aux neuf mètres quinze réglementaires. Il siffla. Bandian respira un grand coup, prit son élan et, du pied droit chaussé de sa vieille sandale, il tira. Le ballon passa au-dessus des défenseurs et entra dans le but en frôlant l'intérieur du montant droit. Le public chanta sa joie. Si une armée de moustiques l'avait attaqué à ce moment précis, le public n'aurait pas plus crié, pas plus remué.

Bandian fut mis en confiance par ce but marqué. Quartier Koko avait égalisé, maintenant il s'agissait de gagner.

Il fallut attendre la dernière minute pour assister à l'exploit. Démarqué sur son aile, Bandian reçut le ballon. Il l'amortit de la poitrine et, dans un geste réflexe, avant même que le ballon ne touche le sol, il frappa. BUT. But imparable. Le gardien de quartier Préfecture n'avait même pas eu le temps de comprendre qu'il était en danger.

Bandian fut acclamé pendant toute la minute qui suivit et qui mena les joueurs à la fin du match. L'homme presque blanc, celui à la Mercedes blanche, avait filmé…

Le président du club quartier Koko félicita Bandian en lui rendant son ballon. Plus de cent personnes voulaient lui serrer la main. Il rendit son maillot d'ailier, se versa un peu d'eau sur les mains et le visage et remit sa chemise. Il n'eut pas le temps de savourer ses exploits.

– Voyou! Mauvais apprenti! Bâtard!

Il leva la tête et vit le chauffeur, le chauffeur avec lequel il était parti de Makono. Il arrivait avec un bâton, furieux après Bandian qui avait laissé seul sur la piste le camion en panne qu'il devait garder.

Bandian, qui n'avait pas usé toutes ses forces sur le terrain, prit ses jambes à son cou et s'enfuit. Derrière lui, tout de suite distancé, le chauffeur continuait à le poursuivre, accompagné de deux ou trois personnes qui voulaient parler au meilleur buteur de l'équipe quartier Koko…

À Kissidougou, la grande rue commerçante était trop encombrée pour prendre beaucoup d'avance sur ses ennemis. Bandian zigzaguait, courait, sautait. Il se cogna contre un petit véhicule arrêté là et tomba par terre. Quand il se releva, il vit à sa droite dans l'autre rue le 4x4 « MSF ». Incroyable. Ce 4x4, il le connaissait, c'était celui de Makono. Il y courut et, sans rien demander à personne, ouvrit la portière arrière et plongea à l'intérieur.

Ils roulaient. Bandian n'avait jamais vu autant de bananiers dans un paysage. Isabelle venait tout juste de comprendre la situation après plus d'une heure de route et d'explications.

– Tu as eu beaucoup de chance de me croiser, Bandian. Je viens à Kissidougou une fois tous les deux mois prendre les commandes des collègues, avant de remonter sur Conakry dédouaner les médicaments.

– Je vais à Conakry.

– Il faut retourner à Makono. Siaki est calmé et ton père ne te punira pas beaucoup. Il sait que tu n'es pas vraiment coupable. Keita et Kanimadi ont expliqué que tu n'avais pas mis le feu.

– Je vais à Conakry.

Quand la nuit recouvrit la terre, ils arrivèrent à Mamou. Isabelle invita Bandian dans un minuscule restaurant où ils dégustèrent du poulet grillé avec du fonio. La cuisinière était de Nzérékoré et c'était sa spécialité. Isabelle prit une chambre pour la nuit. Bandian choisit de dormir dans le 4x4 garé devant l'hôtel. Il savait bien qu'ici, comme ailleurs, les animaux nocturnes de la savane et de la brousse viennent faire peur en écorchant la nuit de leurs mille cris. Il le savait, mais cette nuit, il n'avait pas peur. En quittant Kissidougou, il avait aperçu sur la piste un singe roux et, juste après, une antilope : il savait que c'étaient deux bons signes.

Le lendemain matin, quand Isabelle prit le volant, Bandian remarqua qu'elle avait l'air d'une poterie luisante fraîchement essuyée. Il se sentait bien. Vers midi, ils passèrent au large du mont Kakoulima. Un peu plus tard, ce fut la presqu'île du Kaloum et la banlieue de Conakry.

– Madame Isabelle, vous ne parlez plus. À quoi est-ce que vous pensez depuis un kilomètre ?

– Je pense à un poème qui dit :

> *Conakry chaque jour*
> *Chaque nuit*
> *La mer te caresse.*

CONAKRY

10

Le grand hôtel où s'installa Isabelle bordait la mer. Bandian l'aida à porter ses bagages. Il était absolument épaté par le décor : la petite piscine qu'il aperçut en regardant par la fenêtre de la chambre avait une eau aussi tentante que de l'eau de coco*. Une femme blanche presque toute déshabillée y trempait ses pieds.

– Madame Isabelle, je vais rejoindre ma sœur maintenant.

– Tu as une sœur à Conakry ? Une vraie sœur ?

– Oui, une vraie, même père même mère. Je vais la retrouver. Je connais le nom de son quartier.

– Bandian, si tu as un problème, tu viens ici à l'hôtel et tu m'y attends. Nous repartons pour Makono dimanche matin. Dimanche matin pas plus tard que neuf heures. Tu n'oublieras pas ?

– Dimanche matin neuf heures, je serai là.

Bandian sortit et descendit au rez-de-chaussée par l'ascenseur. Conakry était vraiment une drôle de ville ! On pouvait monter au premier étage, au deuxième étage, et même plus haut par l'ascenseur… monter oui, mais aussi descendre. Entre le troisième étage et le rez-de-chaussée, Bandian eut le temps de penser qu'il allait s'enfoncer jusqu'au milieu de la terre… peut-être. Le milieu de la terre, là où naissent les racines de baobab !

Arrivé dehors, Bandian qui savait parler français, malinké et même un peu soussou, n'eut pas de mal à se renseigner. Le quartier où habitait Fanta, sa sœur, n'était pas trop loin. Un petit vendeur de cigarettes jugea plus facile de l'accompagner que de trouver les mots nécessaires pour indiquer à gauche… à droite… plus loin… derrière le marché…

Ils longèrent le plus joli quartier du monde avec ses villas plus belles que belles. Des villas dont quelques-unes avaient, au-dessus de leur terrasse, le beau drapeau d'un pays blanc.

Arrivé près d'un petit marché, Bandian sauta par-dessus un cochon plus noir que rose qui lui barrait le chemin. Peu après, ils parvinrent près de la grande concession populaire construite tout en longueur. Bandian donna deux pièces à son guide mais refusa de lui acheter un paquet de Marlboro. Il monta quelques marches pour arriver juste au-dessus des boutiques, sur la coursive du premier et unique étage. Fanta ? Il y avait au moins trois Fanta ici et il s'y reprit à plusieurs fois avant de trouver sa Fanta à lui, sa sœur.

Dès qu'il souleva le rideau de pagne qui cachait l'entrée de la pièce, il la vit. Difficile de ne pas la voir ! Elle était allongée sur le lit et le lit occupait à lui seul presque toute la pièce. Bandian remarqua l'ampoule au plafond. Elle était allumée.

– Fanta…

– Bandian ! Qu'est-ce que tu fais ici ? Bandian… Pourquoi tu es là ? Il est arrivé un malheur à… papa… maman ?

Fanta s'était levée. Elle parlait en regardant son frère au fond des yeux. Elle voulait qu'il lui dise la mauvaise nouvelle.

– Fanta, il n'est rien arrivé. Je me suis enfui, c'est tout.

– Pourquoi ?

Elle embrassa Bandian avec tendresse. Bandian! C'était un morceau de Makono qui venait la visiter, un morceau de sa famille. C'était son petit frère, qu'elle avait porté sur son dos au village quand il était un bébé et avec qui elle jouait à la maman. Bandian s'assit sur le lit, à côté de sa sœur.

— C'est à cause de Kani… c'est elle qui t'a fait partir?

— Kani est toujours une méchante femme, Fanta, mais je suis parti à cause du ballon.

Il raconta. Tout. Le ballon bleu, la chute de Siaki, le feu… tout.

— Tu ne peux pas rester ici. Cette chambre n'est pas à moi. Ici c'est chez Maïla, mon amie. C'est elle qui m'héberge. Je ne peux même pas payer tous mes cours de dactylo.

— Fanta, grande sœur, jusqu'à dimanche, je peux dormir par terre à côté du lit ou même devant la porte.

Depuis un moment Maïla était là, sur le seuil. Elle les regardait. Elle entra et embrassa Bandian comme son propre frère.

— Fanta, si on demandait à Bangoura de loger Bandian avec ses apprentis?

Bandian, bien que ne sachant pas qui était Bangoura, trouva que c'était une bonne solution. Après avoir donné des nouvelles de tout le village, et surtout de Diène, leur mère, qui était peut-être un peu moins malade, il descendit dans la rue avec sa sœur et Maïla. Ils parlèrent longtemps, assis sur les marches d'un petit magasin, en attendant Bangoura.

Quand il arriva avec son scooter-camionnette, Bandian fut surpris. Bangoura avait de gros yeux, un gros nez, un gros ventre et un gros chapeau. Il avait l'air aussi aimable qu'un varan qui a faim !

Maïla parlementa un peu. Affaire conclue, Bangoura fit signe à Bandian de monter sur le siège arrière de son scooter-camionnette. Deux minutes plus tard, Bangoura ayant livré sa marchandise, son véhicule démarra dans le crépuscule de Conakry. Bandian eut l'impression de traverser un étrange et long village qui n'en finissait pas. Partout dans les rues, des petites lampes s'étaient allumées. Des petites lampes à pétrole qui tremblotaient. Des immeubles aux fenêtres éclairées, elles, à l'électricité, montaient au ciel comme des fromagers géants. Bangoura, curieux, demanda à Bandian ce qui se trouvait dans son sac de toile.

– Mon ballon.

– C'est un ballon en cuir ?

– Oui, un vrai ballon, homologué. À Conakry, il y a souvent des matchs ?

– Pfff… des matchs ? Tous les jours il y a des matchs.

– C'est combien la place ?

– C'est cher, c'est trop cher. Tu as de l'argent ?

– Oui… non, juste une pièce ou deux.

Bandian préféra ne rien dire. Les billets de cent étaient certainement mieux tout au fond de sa poche que sous le gros chapeau de Bangoura. Ils arrivèrent quelque part où la ville s'arrêtait à cause de la mer. Un bâtiment en bois, fermé, attendait sans bouger. Il était pour l'instant éclairé par le gros phare du scooter-camionnette.

Bangoura appela deux fois :

– Fodé ! Fodé !!!

Une porte s'ouvrit enfin et un garçon à moitié endormi sortit.

– Fodé, occupe-toi de lui.

Bandian descendit du véhicule avec son sac. Bangoura l'interpella, alors qu'il n'avait pas fait trois pas :

– Hé Bandian, ça te plairait de travailler et d'avoir un peu d'argent pour les matchs ?

– Oui… mais c'est quoi le travail ?

– Tu verras demain, Fodé te montrera.

Bangoura fit demi-tour et s'enfonça dans la nuit de Conakry. Bandian suivit Fodé et, quelques instants plus tard, il s'allongeait sur un matelas tout vieux, en mousse, posé par terre. Il serra son ballon et s'endormit en pensant que si Bangoura avait une grosse tête ronde et un gros chapeau rond, lui, Bandian, avait un beau ballon rond.

Conakry, chaque jour, chaque nuit, la mer te caresse ! Isabelle avait raison. La mer de tous les côtés était là et semblait caresser la ville avec la beauté de ses vagues, la caresser pour lui donner plus de goût grâce au sel de ses vagues.

Fodé avait réveillé Bandian et ils étaient partis tous deux au travail, un peu plus loin. Ils passèrent tout d'abord par l'abattoir. Bandian n'avait jamais vu autant de viande, autant de sang, autant de mouches. Devant la carcasse rouge d'un bœuf qu'un boucher découpait à la hache, il pensa à la guerre, à la mort, à tous les tués dont les griots parlaient au village quand ils racontaient les combats de l'Almamy* Samory Touré*.

– Vite, dépêche-toi, il nous faut les plus grandes cornes…

Fodé amena Bandian derrière l'abattoir, sur un morceau de plage. Là, les coupeurs de têtes de bœufs, de têtes de vaches, de têtes de chèvres, jetaient les cornes pour s'en débarrasser. Avant que la mer ne soit haute et fasse le ménage, on pouvait les ramasser.

L'odeur de la mer était chassée par l'odeur de la pourriture. Bandian et Fodé remplirent deux grands sacs de cornes, des sacs prévus pour cinquante kilos de riz. Puis ils retournèrent au baraquement de bois où ils avaient dormi. Bangoura les attendait. Il y avait déjà cinq ou six garçons au travail. Il fallait laver, racler, découper, polir et vernir les cornes. Ensuite, on fixait un support et une petite lampe à l'intérieur. Le travail achevé, Bangoura prenait les lampes-cornes et allait les distribuer à ses revendeurs qui les proposaient aux touristes. Il ne fallait pas parler ici, seulement travailler.

Vers midi, Bangoura sortit manger devant la baraque. Dès qu'il eut fini, ce fut le tour des garçons. Bandian, qui avait l'impression que ses mains avaient l'odeur du sang et de la chair encore attachée aux cornes, alla se laver. Il laissa ses mains tremper un peu et se frotta si fort ensuite qu'il faillit s'arracher la peau. Quand il rejoignit les autres devant la baraque, la bassine était vide. Plus un grain de riz. Plus le moindre petit morceau de viande. Les autres s'étaient servis sans penser à lui. Il rentra et s'assit par terre près des cornes. Il avait envie de pleurer. Ses larmes allaient couler quand une main, tenant une assiette, passa près de lui. C'était la main de Bouba, le nain. Bouba le nain qui, sans rien dire, avait travaillé toute la matinée près de lui.

– Tiens Bandian, c'est pour toi. Quand je me suis servi, je me suis servi pour moi et pour toi.

Bouba avait l'air encore plus heureux que Bandian de la bonne surprise qu'il faisait.

Bandian prit l'assiette de riz qui contenait aussi un morceau bien « viandé » et de la sauce. Il remercia et mangea, mangea, mangea comme s'il avait été privé depuis plusieurs jours.

Au milieu de l'après-midi, comme chaque jour, Bangoura partit livrer sa marchandise. Le travail s'arrêta. Tous les garçons qui avaient travaillé pour le « roi de la corne » se rendirent au bord de l'eau. Certains y trempèrent leurs pieds et leurs mains. Bandian prit son ballon et commença à jongler devant les vagues. Fodé et les autres se moquèrent de lui.

– Tu te prends pour un champion, un vrai professionnel !

– Je serai champion. Je serai un grand, un Roger Milla ou un Basile Boli.

Ils éclatèrent de rire. Fodé s'empara du ballon et le passa aux autres. Tous contre Bandian c'était trop, il ne put le récupérer. Deux minutes plus tard, Fodé fit semblant de le lui laisser, mais c'était une feinte. Il donna un grand coup de pied, n'importe comment, et le ballon s'envola... pour retomber avec un bruit de casse dans le jardin d'une villa. Bandian s'approcha. Bouba, le nain, qui avait suivi toute la scène, s'approcha aussi. Timidement, ils ouvrirent une porte. Un gardien armé d'un bâton arriva.

– C'est mon ballon, je voudrais mon ballon, dit Bandian.

– Vauriens, voyous, partez d'ici.

Le gardien, dans son uniforme de gardien, se prenait pour un général en guerre et ne voulait pas même parlementer.

– C'est son ballon, il n'a pas fait exprès, plaida Bouba.

– Je garde le ballon. Disparaissez ou je vous cogne, bâtards que vous êtes.

Ils partirent en courant. Fodé et les autres avaient disparu.

– Bouba, il me faut mon ballon.

Le nain réfléchit et dit :

– C'est impossible, on ne peut rien faire.

Bandian resta près du mur de la villa. Derrière lui, la mer était presque haute. Il regarda les vagues fières qui avançaient encore.

– Bouba, guette de tous les côtés s'il te plaît.

Bandian commença à escalader le mur du jardin. Derrière, quelque part, il y avait sans doute le gardien et son bâton. Agile comme un singe, il réussit à grimper. Arrivé en haut, il posa sa main droite sur le faîte du mur, mais aussitôt, il cria dans le soir et retomba. Sur le mur, des tessons de bouteilles attendaient les voleurs... les bandits... les chercheurs de ballon.

– Ça va ?

– J'ai mal.

– Fais voir.

Bandian saignait. Il avait la paume de la main droite entaillée.

II

Ils partirent en suivant la plage, vers l'hôtel où logeait Isabelle. Pour un docteur comme elle, soigner une main blessée c'était certainement facile, avait pensé Bandian. Sur les rochers, des charognards attendaient, guetteurs immobiles, que la mer redescende. Peut-être resterait-il pour eux un vieux morceau de peau de bœuf oublié par la marée. À l'hôtel, pas d'Isabelle.

– On va l'attendre, elle ne va pas passer la nuit dehors.

– Bandian, on ne peut pas attendre. Les Blancs ici, ils rentrent à n'importe quelle heure du jour ou de la nuit. On ne peut pas attendre.

Regarde-toi, regarde-moi… ici c'est un hôtel pour les toubabs ou pour les Africains très riches : nous, on ne peut pas rester là.

Sans dire un mot de plus et sans attendre une réponse, Bouba se dirigea vers la sortie, sur ses petites jambes de nain. Bandian le suivit. Ils croisèrent dans le hall un couple de Français, avec des raquettes de tennis.

– Bandian, on retourne chez Bangoura, tu dormiras là-bas.

– Non. Je ne veux plus voir ni Bangoura ni Fodé. Bangoura nous traite comme des esclaves. C'est pas le « roi de la corne » qu'il faut l'appeler, celui-là, mais le « roi de l'esclavage ». Fodé, lui, il a un cœur de crocodile. Sans lui, je ne serais pas blessé à la main et j'aurais mon ballon.

– Alors viens dormir chez moi, dans ma villa… il y a de la place.

Les rues de Conakry étaient toujours les mêmes. Les petites lampes à pétrole allumées par les marchandes des trottoirs compensaient l'éclairage public très défaillant. Bandian se laissa guider. La nuit, les rues lui semblaient encore plus grandes. Bouba était chez lui à Conakry. On aurait pu croire qu'il avait dessiné la ville tellement il la connaissait bien. Et puis, il parlait à tout le monde. Il s'arrêta près d'une marchande de brochettes de bœuf qui coupait un bel oignon posé dans le creux de sa main.

– Grande sœur, tu pourrais te couper la main, comme celui-là, avec ton couteau.

La marchande regarda la main blessée de Bandian.

– J'ai faim, Bouba. Ce midi, tu m'as nourri, ce soir je t'offre une brochette.

Bandian commanda trois brochettes pour eux deux. Une pour lui, une pour Bouba, plus une à partager. La marchande les posa sur la braise toute rouge dans la nuit. Sans rien dire encore, elle fouilla dans le sac sous son banc. Elle en sortit un petit mouchoir de tête rose, un peu usé.

– Viens là.

Bandian s'approcha.

– Donne ta main.

Elle fit couler un peu d'eau d'une calebasse sur l'entaille. Puis elle entoura la main avec le mouchoir.

– Merci grande sœur.

Quand leurs brochettes furent bien grillées, ils les mangèrent sans attendre. Bandian paya avec un de ses billets.

La « villa » de Bouba, c'était l'ancien dépôt du chemin de fer. Avant, c'était peut-être un palais de ferraille, mais aujourd'hui les poutrelles, les vieux wagons, les morceaux de locos étaient malades et rouillés. L'ancien matériel était disloqué, éparpillé. Des bougies allumées jetaient de tous les côtés des ombres grimaçantes.

Ils passèrent entre des garçons allongés qui parlaient et fumaient. Ici, c'était le refuge des miséreux de la ville, ceux qui n'avaient pas le plus petit morceau de toit pour les abriter des grosses pluies qui mouillent Conakry ; ceux qui n'avaient pas un seul être vivant dans la ville pour les protéger. C'était le royaume des enfants seuls.

Bouba se dirigea vers son coin. Calé sur un amas de vieilles bielles qui ressemblaient à des moignons de bras et de jambes, un garçon écoutait Youssou N'dour[*] chanter. Il avait un minuscule poste de radio collé contre l'oreille.

Bouba alluma sa bougie. Il installa le campement. Cinq minutes après, ils dormaient allongés sur une grande natte plus vieille qu'eux.

Le soleil du matin bricolait un peu entre les gros nuages du ciel quand ils se réveillèrent. Ils sortirent du dépôt qui, à la lumière du jour, paraissait plus aimable. La nature qui reprenait ses droits disputait le terrain à la rouille et des fleurs rose-rouge d'hibiscus s'étaient épanouies à l'entrée de l'ancienne allée principale.

Ils partirent traîner dans les rues. Bouba avait prévenu : « On va chercher une occasion ». La première occasion fut le Centre de protection maternelle et infantile. Ils y entrèrent et une infirmière connue de Bouba fit un pansement à Bandian qui refusa la piqûre contre le tétanos : il avait déjà été vacciné à Makono.

Au ciel, le soleil avait bien négocié. Les nuages avaient accepté d'aller voir ailleurs. Ils arrivèrent bientôt devant la grande épicerie Superbobo. Un libre-service. Bandian n'avait jamais vu cela ! Sur le conseil de Bouba, ils attendirent là, pas trop près de l'entrée.

Bientôt, l'occasion se présenta : une femme blanche, avec des lunettes de soleil, des cheveux longs, sortit, surchargée de paquets. Aussitôt une meute d'enfants l'assiégea. Ils voulaient l'aider à porter tout, tout, tout. Ils étaient au moins une douzaine, prêts à se battre. Porter, c'était gagner une précieuse pièce. Bouba s'avança et, malgré sa petite taille, chassa la meute avec autorité.

– Foutez-moi le camp, c'est ma tante, laissez-la.

La femme blanche fut bien heureuse d'être ainsi secourue.

– Donnez-moi un ou deux paquets, je vais vous aider, ce sera mieux.

L'offre était si simplement et si poliment formulée que la femme tendit deux gros paquets à Bouba.

Bandian s'approcha, Bouba lui en passa un. Ils accompagnèrent la femme blanche jusqu'à une superbe Pajero 4x4. Encore un peu encombrée, elle fouillait dans ses poches, à la recherche de ses clés, quand Bouba fit un clin d'œil à Bandian :

– Vite, petit frère, courons !

Là-dessus il détala, de toute la vitesse de ses petites jambes. Après une demi-seconde de surprise et d'hésitation, Bandian détala à son tour. Cinquante mètres plus loin, il avait rattrapé Bouba. Ils n'entendirent même pas la femme crier « au voleur ». Ils coururent encore. Bandian était toujours devant Bouba. Cinq minutes plus tard, quand ils s'arrêtèrent, ils étaient bien loin…

– Ouf ! Petit frère, tu cours plus vite que le train qui roule jusqu'à Kankan !

– Dans mon village, à Makono, on m'appelle « la gazelle ».

– Moi, je suis plutôt du genre diesel… ça va moins vite, mais c'est du solide.

– Bouba… t'es un voleur ? Un vrai voleur ?

– Non. Je me débrouille un peu, c'est tout. Viens. J'ai une surprise pour toi.

Bouba se chargea des deux sacs et ils partirent dans le labyrinthe des rues de la ville. Ils arrivèrent vite au stade du Vingt-huit septembre*. Il y avait déjà du monde, bien que le grand match ne se jouât que l'après-midi. Ils ne voyaient pas le terrain, seulement l'extérieur des tribunes. Oui, les tribunes cachaient tout !

Ils attendirent longtemps sans rien dire. Bandian n'avait jamais vu autant de monde à la fois. Plus l'heure du match approchait, plus la foule grossissait. Bouba se leva, il fit signe à Bandian et tous deux se dirigèrent vers une entrée annexe. À la porte, il n'y avait que des soldats. Cela ne ressemblait pas à l'entrée des spectateurs.

Bouba s'approcha, aussi sûr de lui que s'il avait le même grade que le président de la République en personne. Une fois près du soldat, il lui tendit les deux sacs pleins, les deux sacs volés à la femme blanche. Le soldat, presque distraitement, regarda leur contenu. Il fit un clin d'œil à l'un de ses collègues et d'un signe autorisa Bouba et Bandian à entrer. Ils traversèrent un couloir qui passait sous la tribune et se retrouvèrent au bord du terrain.

En habitué, Bouba continua jusqu'à l'angle et, suivi de Bandian, arriva au pied du pylône d'éclairage pour les nocturnes. Ce pylône était plus haut que la tribune près de laquelle il se dressait. Bouba et Bandian grimpèrent. Il y avait déjà là une bonne cinquantaine de spectateurs. Quand ils furent presque en haut, ils s'installèrent bien comme il faut. Il était temps, le match commençait.

Bandian n'en revenait pas. Entourés de milliers de spectateurs, les joueurs évoluaient sur un superbe terrain qui possédait une belle pelouse verte et de vrais buts! Difficile de tout voir avec deux yeux, mais Bandian y parvenait presque. Aucun geste technique ne lui échappait : balle brossée, il applaudissait, débordement, petit pont, coup de pied retourné, il applaudissait. Quel spectacle!

C'était Titi Camara qui menait la danse, le *Hafia* de Conakry avait déjà, grâce à lui, inscrit deux buts. Deux buts et la première mi-temps n'était pas finie. Bandian aurait voulu que le match dure jusqu'au lendemain... jusqu'à la fin de la saison des pluies... jusqu'à...

Titi Camara était là, démarqué. Le ballon lui arriva après une longue transversale. D'une géante reprise de volée, il le frappa ! Raté ! Le ballon, au lieu de prendre la direction de la cage, s'éleva vers la tribune et... atterrit sur le toit. Les milliers de spectateurs se levèrent en criant aaah... ooh... le ballon ! Le ballon du match était sur le toit de la tribune.

Sans réfléchir, Bandian lança à Bouba :

– J'y vais.

Il se mit debout sur l'axe du pylône où il était assis et... sauta. Bouba ferma les yeux. Entre le pylône et le toit, il y avait un vide de presque trois mètres et en plus le toit était quatre ou cinq mètres plus bas.

Bandian avait sauté. Il savait qu'il était une gazelle... une gazelle de Haute-Guinée, la gazelle de Makono.

113

Quand Bouba osa rouvrir les yeux, Bandian était arrivé sain et sauf sur le toit. Il s'était rétabli sur ses deux jambes et il courait vers le ballon. Tous les spectateurs du stade qui, de leur place, pouvaient le voir, le regardaient. Les joueurs aussi.

Bandian prit le ballon. Un ballon tout neuf, un vrai ballon de championnat, tout cuir, un ballon tout homologué… un ballon magique.

Il le prit et commença à jongler avec, sur un pied et sur l'autre et sur un pied et encore sur l'autre ; sur un pied et hop ! sur la tête et retour au pied ; sur le pied et l'épaule, sur l'épaule et le dos ! Oui, le dos ! Incroyable. Tous les spectateurs regardaient.

L'arbitre hurlait. Il réclamait son ballon. Les joueurs s'impatientaient.

En plus de tous les yeux braqués sur lui, il y avait une caméra. Là-bas, de la tribune opposée, un homme filmait cette scène inhabituelle, la caméra vissée à son œil droit. Il était debout. Il était presque blanc, presque un toubab, dans son costume blanc.

Bandian n'entendait ni l'arbitre ni personne. Il jonglait. Il était le plus grand jongleur de Haute-Guinée, il était aussi le plus grand jongleur de Conakry.

L'arbitre demanda à la police de récupérer le ballon du match. Les policiers finirent par arriver sur le toit de la tribune. Ils étaient un peu essoufflés, ils étaient montés par l'escalier. Ils foncèrent sur Bandian qui jonglait tant qu'il ne les vit pas arriver. En un instant, il fut fait prisonnier. Et le ballon aussi.

Tout de suite, les policiers libérèrent le ballon qui fut rendu à l'arbitre et aux joueurs. Le match put reprendre. Bandian, lui, resta prisonnier. Il se retrouva menottes aux poignets, dans un camion. Là-bas, le match continuait.

Dix minutes plus tard, la police arrivait avec une cinquantaine d'hommes. Tous ceux qui étaient montés sur le pylône avaient été arrêtés. Tous, y compris Bouba.

La prison de Conakry, ce n'est pas le palais du Président ! C'est un palais pour cancrelats et pour cafards. Les cafres* qui étaient enfermés dans les grandes cellules n'auraient en aucun cas donné leur calebassée de mil ou de riz à leur mère ou à leur oncle maternel.

Bouba et Bandian se retrouvèrent entassés au milieu de tous ces hommes assis ou allongés sur le sol.

– Ne t'inquiète pas, petit frère, on sortira demain.

– Demain, Bouba ?

– Il n'y a pas assez de place dans cette prison. Quand les prisonniers du samedi soir et du dimanche arriveront, on nous fera sortir. Oui, on sortira dimanche… ou lundi.

12

Bandian bâilla comme un crapaud. Il se réveillait. Appuyé contre Bouba, il avait rêvé aussi bien que s'il avait dormi dans sa case, à Makono. Assis par terre, le dos contre le mur de la cellule, Bouba croisait les bras. Il avait la mauvaise tête de quelqu'un qui manque de sommeil et qui n'est pas content du tout.

– Bouba, ça va ?

Bandian n'obtint aucune réponse. Il jeta un regard autour de lui. Des corps étaient enchevêtrés, entassés. Les prisonniers étaient si serrés ici que l'on aurait pu se croire au milieu d'un monde de mutants : corps avec plusieurs têtes ou trop de bras… Bandian frissonna dans la pénombre.

— Bouba, qu'est-ce que tu as ?

— Rien Bandian, sauf que je pense à ma crasse de nègre, de pauvre petit nain de nègre qui n'a même pas un morceau de vague de la mer pour se laver.

Il se tut. Bandian qui était resté mi-allongé s'assit à son tour. Sa tête se trouvait juste à la hauteur de celle du nain. C'est Bouba qui commença à parler.

— Ouvre les yeux, petit champion de Makono. Regarde bien autour de toi. Regarde tous les pauvres nègres, tes frères et mes frères. En prison, ils ne sont pas beaux, parce que personne n'est beau en prison. Ici, c'est comme dans la savane de Haute-Guinée, il y a les espèces vénéneuses à côté des espèces guérisseuses. Ici, comme là-bas, le poison veut être le compagnon des plantes comestibles.

Bouba se tut. Tous les prisonniers de la cellule aussi. Derrière la porte, il y avait du bruit, des voix… Une clé écorcha la serrure avec un crissement sinistre. La porte s'ouvrit, laissant dévaler sur les prisonniers une bouffée de lumière.

Un policier regarda sans rien dire les corps assis ou allongés. À côté de lui, en superbe costume européen blanc, se tenait le Libanais à la Mercedes. Celui qui, à Kissidougou et au stade du Vingt-huit septembre, avait une caméra vissée à l'œil. Il inspecta la cellule et s'exclama :

– Là-bas, là, c'est lui… c'est mon boy !

Il désignait Bandian. Le policier fit signe au garçon d'approcher. Bandian se leva, étonné.

– C'est lui, c'est mon boy, c'est bien lui.

Le Libanais sortit un paquet de grands billets de sa poche de pantalon, en compta dix qu'il tendit au policier.

– Viens Bandian, retournons au magasin.

– Mais, je ne vous connais pas…

– Quoi ! Tu ne me connais pas !

Bouba qui s'était approché intervint :

– Bandian, arrête tes bêtises, il faut que tu ailles avec le patron, il est venu te chercher.

Tout doucement, il glissa à l'oreille de Bandian :

– Profite de ta chance, petit champion…

– Je ne veux pas partir sans mon frère.

– Ton frère, où il est ton frère ?

– Là.

Bandian désigna Bouba. Il avait l'air si résolu que le Libanais au costume blanc sortit une nouvelle fois ses billets et en compta encore dix.

Le policier qui n'avait toujours pas pro-
noncé un seul mot dit simplement, en recevant
l'argent :

– Merci monsieur Béchir, à votre service.

Ils suivirent M. Béchir, le Libanais en costume blanc, qui marchait à grands pas. Peut-
être craignait-il que l'odeur de la prison ne
vienne tacher sa belle blancheur. Arrivé à sa
Mercedes, il ouvrit la porte arrière et leur fit
signe de monter.

– Monsieur, je dois partir. C'est dimanche
aujourd'hui et j'ai rendez-vous à neuf heures,
dit Bandian.

– À neuf heures… alors te fais pas de soucis,
ton rendez-vous est passé depuis longtemps.
Il est foutu ton rendez-vous ! Montez.

Bandian et Bouba montèrent à l'arrière
de la Mercedes blanche. C'était la première
fois que l'un et l'autre pénétraient dans une
si belle voiture. Le Libanais se mit au volant
et, avant de démarrer, se coiffa de son chapeau blanc. Il alluma la radio. Ils roulèrent en
musique dans Conakry.

Dix minutes plus tard, ils arrivèrent devant une grande grille qui s'ouvrit miraculeusement quand la Mercedes se présenta devant elle. En entrant, Bandian avait eu le temps de lire l'inscription *Les dents de la mer – poissonnerie, vidéo club.* Plusieurs édifices composaient *Les dents de la mer.* Sur un des côtés de cette immense concession construite en parpaings et en ciment, il y avait un bâtiment-marché où des revendeurs se ravitaillaient directement en poisson. De l'autre côté, une centaine de chaises bien alignées, bien sages, regardaient un grand mur blanc.

— Ici, c'est le ciné en plein air, informa Béchir.

Ils entrèrent dans un super bungalow, après s'être faufilés entre des camions que l'on chargeait ou déchargeait. La marée du dimanche semblait bonne.

Béchir ouvrit trois serrures d'une grande porte et ils se retrouvèrent dans une pièce très encombrée.

— Asseyez-vous là. Il y a deux chaises… juste ce qu'il faut pour deux frères…

Béchir s'installa, lui, derrière son bureau, sur un fauteuil pivotant. Il posa son chapeau sur une pile de dossiers. Tranquillement, il sortit d'une belle boîte en bois un cigare qu'il alluma avec soin. C'est seulement après avoir lancé quelques bouffées de fumée dans la pièce qu'il dit :

– Regardez.

Il tira le rideau qui était derrière lui et découvrit six postes de télévision. Trois postes plus trois postes, posés les uns sur les autres. Il appuya sur sa télécommande et les six postes s'allumèrent en même temps. Un beau visage de femme apparut, mais ne resta sur l'écran que trois ou quatre secondes. Une image de ciel bleu lui succéda et tout de suite après des jambes et un ballon. Incroyable : c'étaient les jambes de Bandian ! Béchir, monsieur « Dents de la mer », Béchir, monsieur « vidéo club », leur projetait son film… les images qu'il avait tournées à Kissidougou.

– Bandian, c'est toi ! C'est complètement toi ! s'exclama Bouba.

Bandian se reconnut marquant le but de la victoire, d'une belle reprise de volée. Béchir appuya sur la télécommande et revint en arrière. Ils revirent une nouvelle fois le but. Béchir recommença la manœuvre trois fois et trois fois, ils virent Bandian marquer le même but.

– Maintenant, regardez ça.

Béchir glissa une nouvelle cassette dans le magnétoscope.

— Regardez bien.

D'un seul coup, en plein écran, Jean-Pierre Papin, le fameux JPP, fonçait sur la pelouse, seul… Arrivé à une vingtaine de mètres du but, alors que deux joueurs de la défense adverse s'approchaient de lui, il reçut d'on ne sait où le ballon. Sans même le contrôler, il shoota du droit et marqua.

— Voilà. C'est le même geste. Bandian, tu es de la graine de champion. Tu frappes la balle presque comme JPP.

— C'est JPP avec Marseille, avec l'O.M. ? questionna Bandian.

— Oui, ça a été filmé avant qu'il ne parte au Milan AC.

— Et Boli ?

— Tu veux voir Basile ?

Béchir remit le magnétoscope en marche et laissa se dérouler le match. Boli apparut bien sûr et Bandian applaudit. Bouba aussi. Mais l'écran s'éteignit soudain.

— C'est pas vrai ça ! s'exclama Béchir.

Il sortit de son bureau presque aussi vite qu'un joueur de foot en contre-attaque. Dehors, il se mit à crier aussi fort qu'un supporter :

– Sylla ! Sylla !! C'est quoi encore cette panne ?

– C'est le groupe, patron. Il était sur la réserve… il n'y avait plus de gasoil.

– Et pourquoi il n'y en avait plus ? Et pourquoi il tournait sur la réserve ? Et pourquoi je te paie, moi ? Il s'est arrêté quand ce matin ?

– Ce matin-matin, dans la nuit je crois. C'est pour cela que je l'ai fait repartir sur la réserve tout à l'heure.

– Bordel ! C'est pas vrai ! J'ai un groupe pour que tout fonctionne ici mieux que si j'étais branché sur la haute tension du pays qui est toujours en panne. Bordel, Sylla, ici l'électricité c'est du froid, c'est du poisson frais !

Silence.

Béchir revint dans le bureau aussi épuisé que s'il avait joué les prolongations.

– Ouste, Bandian, dehors… dans la cour, il y a du travail. Allez, et toi aussi petit-grand frère, dans la cour.

Bandian fit une grimace mais se rendit dans la cour. Là, avec Bouba, il aida les autres employés de la poissonnerie. Béchir partit chercher du précieux gas-oil. Il fallait faire vite : le poisson ne souhaitait pas attraper un

coup de chaleur. Bandian et Bouba travaillè-
rent avec bonne humeur. Après tout, ils
étaient libres.

Le ciel et son soleil étaient au-dessus
de leur tête et Béchir était un patron plus
aimable que Bangoura, « le roi de la corne ».
En plus, il aimait le foot... Il était, selon ses
propres termes : vendeur de poisson en gros,
vendeur de films vidéo et vendeur de joueurs
de foot.

À présent, ils étaient deux plus Bouba et
Bandian à aller et venir du dernier camion à
la chambre froide. Chaque fois qu'il prenait
une caisse, Bandian la posait sur sa tête pour
la porter plus facilement. C'était moins fati-
gant. Ils avaient déchargé plus de la moitié
du camion quand il vit apparaître une drôle
de chose sous une caisse. Aussitôt les autres
s'écrièrent :

— Le kakilambé! le kakilambé! le kakilambé!
Sylla dit :

— Ce masque, c'est pour Béchir, mettons-le
de côté.

Ils avaient tous un peu peur. Le kakilambé n'était pas très rassurant. Ce fut Bouba qui le prit entre ses mains. Avec sa barbe qui pendouillait, le masque était aussi grand que lui. Il s'en recouvrit, l'ajusta et se mit à gesticuler. Les autres s'écartèrent avant de rire... un peu, un tout petit peu. La dernière caisse de poisson fut enfin déchargée et mise dans la chambre froide... plus très froide. C'est à ce moment-là que Fodé arriva.

– Bandian!

Surpris, Bandian regarda Fodé venir vers lui.

– Bandian, je te cherche. Je te cherche et je ne suis pas le seul.

Bouba s'approcha.

– Fodé, tu fais quoi ici? Tu ne travailles pas pour Bangoura, cet après-midi?

– Je suis ici parce que j'ai décidé de finir un peu plus tôt ma journée. Il y a une femme blanche chez Bangoura. Elle est arrivée avec ta sœur Fanta. Elles te cherchent.

– Et toi, comment nous as-tu trouvé? questionna Bouba.

– Je savais que la police vous avait arrêtés. Je suis allé à la prison...

– Bouba, c'est Isabelle. Elle me cherche. Elle n'est pas partie sans moi.

Béchir n'était toujours pas revenu. Leur travail était fini.

– Bouba, allons chercher mon ballon. Allons à la villa près de la plage. Je ne peux pas repartir sans mon ballon, insista Bandian.

– Oui, c'est ça, allons-y. J'ai une idée.

Bouba glissa quelques mots aux autres employés et au chauffeur du petit camion. Ils se mirent à rire. Aussitôt Bouba chargea le kakilambé et deux caisses de vieux poissons qui avaient une odeur bizarre. Ils montèrent tous à l'arrière du camion qui démarra du premier coup. Même Fodé s'était joint à eux.

Ils roulèrent jusqu'à la plage, à côté de chez Bangoura. Ils manœuvrèrent pour que le camion roule sur le sable, tout contre la clôture de la villa, la fameuse villa dans le jardin de laquelle le ballon de Bandian était tombé. Quand ils furent au bon endroit, Bouba monta sur la cabine du camion et se revêtit du masque. Puis les autres poussèrent de grands cris et lancèrent les poissons pourris par-dessus le mur de pierres.

Le gardien arriva en courant. Il fut bombardé de poissons ! Quand il leva la tête pour comprendre d'où venaient ces projectiles, il vit le masque qui s'agitait. Il se mit à trembler et à hurler :

– Kakilambé! kakilambé! malheur! malheur!

Il partit en courant se cacher pour le reste du jour et peut-être même pour toute la nuit. Sur un signe de Bouba, Bandian monta à son tour sur la cabine et sauta par-dessus le mur du jardin. Furtivement, il se glissa jusqu'à la villa qui avait poussé au milieu des fleurs et des arbres.

Cinq longues minutes après, il en ressortit avec son ballon bleu. Quand il eut traversé le jardin en sens inverse, Bouba et les autres lui jetèrent une corde et le hissèrent du bon côté.

– Ouf! petit frère, tu as été long, j'avais peur pour toi.

– J'ai mon ballon, on peut repartir.

Le camion sortit de la plage et, avec tout son monde plus le kakilambé, roula dans Conakry.

13

Pendant ce temps, Isabelle s'adressait aux uns et aux autres pour savoir si quelqu'un avait vu Bandian. Le petit vendeur de cigarettes lui dit savoir où habitait la sœur de Bandian. Il était d'accord pour la conduire si elle lui achetait cinq paquets de Marlboro. Elle ne fumait pas mais accepta.

Deux heures plus tard, elle débarquait chez Bangoura, en compagnie de Fanta.

Un peu après, elle arrêtait son 4x4 juste derrière le scooter-camionnette de Bangoura, devant une grande grille surmontée de l'inscription *Les dents de la mer – poissonnerie vidéo club*. Béchir était là. Son groupe électrogène ronronnait mieux qu'un chat qui aurait bu une calebasse de lait. Il reçut Isabelle et Fanta avec empressement et cérémonie.

— Que me vaut l'honneur de votre visite ?

— Monsieur, nous ne voulons acheter ni poisson ni film, nous cherchons Bandian.

— Bandian... mon petit frère, ajouta Fanta.

— Vous cherchez Bandian ! Il en a de la chance d'être aussi demandé ; il en a de la chance d'avoir une aussi jolie sœur !

Ces quelques mots suffirent à séduire définitivement Fanta, qui avait déjà été très impressionnée par le style américano-européen de Béchir.

Il n'y avait plus qu'à attendre que Bandian revienne. Il s'était absenté avec le camion et les autres employés, certainement pour aller rejeter à la mer le poisson gâté.

Béchir eut le temps de se présenter et d'insister particulièrement sur son travail de « découvreur de footballeurs, découvreur de champions ».

— Fanta, confie-moi Bandian et j'en ferai un champion, un vrai.

— Mais Bandian n'est qu'un enfant, il faut qu'il vive près de sa mère, de son père et de son oncle maternel à Makono, il faut qu'il aille à l'école, intervint Isabelle.

– Fanta, si tu me laisses Bandian, parole de Béchir, il sera champion et riche… et toi aussi.

Béchir se tourna alors vers Isabelle.

– Madame, Bandian a douze ans. Il est déjà allé à l'école jusqu'à douze ans, c'est beaucoup. Maintenant il peut compléter ses études dans une école de foot…

– Une école de football ?

– Oui, ici même, à Conakry, nous en avons une, celle de Karim.

Comme un bolide de compétition, le camion fit son entrée dans la cour. Béchir se leva et sortit, suivi de Fanta et d'Isabelle. Bandian, ballon à la main, vint vers eux.

– Madame Isabelle, j'ai mon ballon, regardez, j'ai mon ballon.

– Bandian, remercie monsieur Béchir de t'avoir aidé et dis au revoir à tes amis, nous rentrons à Makono.

– Si Bandian reste ici, il rentrera à l'école de foot de Karim, insista Béchir.

– Le grand Karim ?

– Oui, Bandian, Karim le grand… le grand Karim, confirma Béchir.

– Vous le connaissez ?

– Je le connais et il me connaît. À Conakry, tout le monde connaît monsieur Béchir.

Béchir se tourna vers Fanta, lui fit un clin d'œil et ajouta en riant :

– Monsieur Béchir, commerçant en poissons, en films, en football. Même les ministres et le Président me connaissent.

– Madame Isabelle, je veux rester ici pour devenir un vrai Roger Milla, un grand champion.

– Il faut qu'il reste, renchérit Bouba. À Conakry, il y a de grandes équipes.

– Il faut qu'il reste, dit fermement Fanta. Monsieur Béchir lui offre une chance unique. Il faut la saisir. Quand la chance se présente, il ne faut pas la laisser passer.

– Je veux rester et devenir champion.

Désolée, Isabelle regarda Bandian au fond des yeux.

– Si j'avais su que le ballon d'occasion que je t'ai offert mènerait à cette situation…

– Madame Isabelle, si je vais à l'école du grand Karim, je deviendrai un champion. À lui tout seul, Karim a fait gagner le *Hafia* de Conakry au moins mille fois !

Béchir, qui s'était éclipsé, revint avec un plateau de boissons. Il prit soin d'offrir en premier une sucrerie* à Fanta. Après, il servit Isabelle…

Celle-ci but un peu de jus de fruits sans dire un mot. Elle était triste. Bandian, son ami Bandian serait seul sans personne pour l'aider à éviter les pièges de Conakry. Fanta, son aînée, était bien trop naïve pour le défendre.

— N'ayez crainte, madame Isabelle, la rassura Béchir, Bandian est un gagneur, comme moi quand j'étais jeune.

Isabelle vida son verre sans rien dire. Elle se leva et fit quelques pas.

— Au revoir Bandian. Je suis triste de partir sans toi.

— J'ai lavé le ballon que vous m'avez donné. Il est tout propre, je vous le rends…

— Non Bandian, garde-le. Je suis triste, c'est vrai, parce que ce ballon nous entraîne tous dans une histoire bien compliquée, mais c'est ton ballon. Je te l'ai offert : donner c'est donner !

— Madame Isabelle, à Makono, il faut encore soigner maman, il faut qu'elle guérisse. C'est aussi pour elle que je veux devenir un grand footballeur.

Isabelle se pencha, serra Bandian dans ses bras et murmura :

— Puisque tu restes et que je n'y peux rien, deviens un champion. Un grand, beau champion.

Elle fit un petit signe de la main à Béchir et à Fanta et s'éloigna.

Au moment où elle allait démarrer, Bouba frappa à la vitre.

– Madame Isabelle, n'ayez aucune crainte, je veillerai sur Bandian comme un frère, comme une mère, comme un oncle maternel.

14

Isabelle roulait, seule, dans le début de nuit. Elle avait décidé de faire étape à Kindia. Elle avait les yeux humides. « Décidément je suis une vraie papaye mûre à la chair bien tendre et bien juteuse », pensa-t-elle. En haut d'une côte, elle aperçut un vaste morceau de ciel étoilé. Elle aurait bien voulu qu'une étoile filante, vive comme un jeune épervier, traverse la nuit. Elle aurait fait un vœu. Pour elle ? Ou pour Bandian ? Bandian ! Sa volonté de devenir un footballeur lui rappela la force qu'elle avait eue, elle, pour convaincre sa famille que médecin était certainement le plus beau métier du monde, et davantage

encore médecin sans frontières… Qui sait ?
Bandian, lui, deviendrait peut-être footballeur
sans frontières…

À Conakry, Bandian et Bouba dormaient
dans une petite chambre haut perchée sous
le toit du bâtiment principal des *Dents de la
mer*. L'un comme l'autre avaient leur main
pour oreiller. Béchir s'était engagé à manager
Bandian jusqu'au moment où il deviendrait
capitaine de l'équipe nationale de Guinée ! Et
d'abord à le faire entrer à l'école de Karim
sur-le-champ. Avec le talent de Bandian et
l'influence de Béchir, l'école déjà bien pleine
trouverait une petite place de plus pour un
nouvel élève.

Bouba, auquel Bandian voulait rendre toute
l'amitié qu'il avait reçue, fut engagé par Béchir,
sans trop de difficultés, comme chef du froid.
Il s'occuperait des provisions de gas-oil, de la
bonne marche du groupe électrogène et de la
température des chambres froides. Fanta fut
assurée de pouvoir suivre ses cours de secré-
taire sans soucis : Béchir payerait l'école…
ainsi que deux beaux pagnes.

Isabelle arriva à Makono juste après la prière de l'après-midi. Au dispensaire, il n'y avait que Sarang, l'infirmière peule.

Première urgence, mettre en lieu sûr le trésor que représentaient les médicaments. Les deux jeunes femmes remplirent la pharmacie et stockèrent plus de la moitié des cartons dans le bureau. Des cartons qui contenaient de nombreux vaccins, des comprimés pour lutter contre le paludisme et beaucoup d'antibiotiques. Isabelle laissa Sarang dresser l'inventaire précis de l'arrivage et partit pour la concession du vieux Moussa.

Elle ne s'y rendit pas directement. Elle alla tout d'abord chez Sara qu'elle trouva assis devant sa case. Il sculptait un morceau de bois. Elle s'approcha et le salua respectueusement :

— Bissilillâhi*, Sara.

— Docteur Isabelle, bonjour, as-tu la paix ?

— La paix seulement Sara, et toi ?

— Docteur Isabelle, la bonté du souverain des cieux m'apporte chaque jour assez d'air sec, de noix de cola et d'arachides pour être heureux.

Sur un signe de Sara, Isabelle s'assit devant lui, sur le sol.

— Sara, permets-moi de t'offrir cette boîte de cachets d'aspirine et aussi cette boîte de Nivaquine*, pour toi-même ou un de tes parents.

Sara accepta et continua de sculpter son morceau de bois. Et Isabelle lui raconta. Tout. Bandian à Kissidougou, Bandian à Conakry, Bandian chez Béchir et... bientôt Bandian à l'école de football du grand Karim.

Sara écouta sans l'interrompre. Il ne répondit rien et continua à sculpter. Deux bonnes minutes au moins s'écoulèrent ainsi. La parole ne doit pas être aussi folle qu'un crapaud qui grimpe au bananier et c'est calmement que la voix réfléchie de Sara se fit entendre.

– Allons parler au vieux Moussa, ça ne sera pas facile.

Il se leva, Isabelle l'imita. Lui, le marabout-féticheur* de Makono, et elle, le médecin sans frontières, allèrent d'un même pas faire entendre une même parole au vieux Moussa, père de Bandian.

Quand ils arrivèrent, Moussa leur offrit la traditionnelle calebassée d'eau de bienvenue. Ils s'assirent sur des sièges de bambou. Kani, qui mouillait avec un peu de lait le couscous de mil, les rejoignit, ainsi que Diène qui venait de pousser quelques branches sous le foyer.

Tous écoutèrent le récit d'Isabelle.

– J'ai perdu un fils, observa Moussa.

Sara intervint :

– Moussa, perdre un fils n'est rien. C'est le retrouver grandi qui est difficile.

Ils se turent tous. Quelques instants plus tard, c'est Diène qui redonna vie à la parole :

– Bandian, mon fils, deviendra un grand footballeur. Aujourd'hui, j'ai des larmes parce que la vérité, c'est qu'il est parti ; parce que la vérité est quelquefois comme un piment mûr, elle rougit les yeux. Mais Bandian, mon fils, deviendra un grand footballeur.

Tout était dit et l'on pouvait se séparer. Isabelle ajouta cependant :

– Moussa, je n'ai pas ramené Bandian de Conakry, mais je lui ai promis de m'occuper de la santé de Diène. Je lui ai promis de guérir sa maman, votre épouse. Je viendrai demain matin avec ma trousse de médecin et des médicaments.

Elle se leva et partit en paix sous le regard protecteur de Sara.

139

C'était fait. Béchir avait convaincu le grand Karim. Il lui avait montré la cassette filmée à Kissidougou. Il lui avait payé d'avance toute l'année scolaire de Bandian et il avait ajouté un petit paquet de billets de mille pour l'école… De plus, Béchir avait promis à Karim de sponsoriser l'équipe de football en offrant à chacun un survêtement bleu et rouge sur lequel figurerait un poisson avec la mention *Dents de la mer.*

Bandian était debout sur le terrain. C'était son premier jour. Le terrain du grand stade du 28 septembre était vraiment grand… Ses pieds nus étaient chaussés d'une vieille paire de chaussures à crampons. Tous les élèves de l'école étaient assis sur la pelouse. C'était impressionnant. Les tribunes vides avaient l'air d'une énorme gueule ouverte prête à dévorer les joueurs. Bandian essaya de se convaincre qu'il était la gazelle de Makono, qu'il était né là-bas, en Haute-Guinée, par une nuit de pleine lune, mais il restait très intimidé. Devant lui, le grand Karim paraissait immense. Il avait un sifflet pendu à son cou. Il présenta Bandian aux autres.

– Voici Bandian. À partir de maintenant, il fait partie de l'équipe et il logera avec vous, à l'internat.

Du pied droit, il adressa le ballon à Bandian.

– Montre-nous un peu ce que tu sais faire sur une pelouse.

Bandian commença à jongler. Il se lança le ballon d'un pied à l'autre… d'un pied à la tête…

– Bien, Bandian. Pose ton ballon au point de penalty et essaie de marquer. Abdou, va dans les buts.

Bandian prit le ballon à la main. Quand il passa près des joueurs assis, l'un d'eux lui lança :

– Kharéman*… tu n'es pas doué ! Tu ne sais pas jouer !

COUP D'ENVOI

15

Le premier jour à l'école ne fut pas facile pour Bandian. Pour devenir un champion prêt à affronter les grandes finales, les coupes des coupes, il ne suffit pas d'être né un soir de pleine lune, même si ça compte.

Le premier jour, il y eut l'épreuve des penalties, comme un examen. Abdou, les deux pieds bien posés sur sa ligne de but, attendait, tous les sens en alerte, prêt à bondir comme une panthère. Bandian prit un peu d'élan et tira. Bravo ! Bravo pour Abdou qui du poing envoya le ballon loin derrière le but. Re-penalty et re-bravo pour Abdou ! À croire que ce goal était en béton, du béton avec des bras et des jambes élastiques.

Bandian récupéra le ballon pour la troisième fois. Quand il passa près des élèves assis sur la pelouse, la même voix lui jeta :

– Paysan… tu n'es pas doué, tu ne sais pas jouer.

Bandian posa son ballon exactement sur le point de penalty. Il recula de quelques mètres et tout en regardant Abdou dans les yeux, il enleva les vieilles chaussures à crampons que Karim lui avait prêtées. Pieds nus sur la pelouse, il se sentit à l'aise, exactement comme sur la terre rouge de Makono, exactement comme une gazelle prête à bondir entre les arbres de la forêt sacrée.

Il shoota exactement comme il le voulait et plaça le ballon dans la lucarne. Trois fois il recommença, variant son tir : à droite une fois, à gauche une autre fois… Pris à contre-pied, Abdou ne pouvait rien et, même s'il avait plongé du bon côté, qu'aurait-il pu ? La vitesse d'exécution de Bandian surpassait ce matin-là la vitesse des réflexes du gardien.

Chaque jour d'école fut une épreuve pour Bandian. Il dut s'obliger à garder ses chaussures à crampons. Aucune loi du football n'interdit de jouer pieds nus, mais Karim était là pour former de vrais joueurs pour de vrais stades, pas des joueurs de terrains vagues aux pieds nus… Dès six heures du matin, Karim apprenait à tous l'orthographe du ballon, la grammaire de la tactique, l'addition et la multiplication des passes, la géographie des systèmes de jeu, l'histoire des grands champions.

Il fallut qu'un premier mois d'apprentissage passe pour que les autres élèves commencent à parler à Bandian et à l'accepter dans l'équipe. Tous sauf Touré, le numéro 10 de l'école, le Pelé de Conakry !!! C'est lui qui répétait sans cesse à Bandian qu'il n'était qu'un petit paysan pas doué. Il est vrai que Bandian était le plus petit de l'équipe. À douze ans, il n'avait pas encore grandi autant que les autres qui avaient déjà quatorze, quinze, seize ans… Petit oui, et pourtant il marquait de la tête aussi bien que les autres, mieux peut-être.

La journée avait été bien remplie. Après le footing le long de la mer, il y eut les exercices d'étirement au sol pour favoriser la souplesse, puis les exercices de vitesse. Ouf! Dans la chaleur humide de Conakry, maillots et culottes collaient à la peau. À l'heure du repas, les élèves mangèrent presque en silence. Le riz disparut vite. Ils avaient tous besoin de retrouver des forces. Touré ne fit aucune remarque à Bandian. En usant ses forces avec les autres sur le terrain, il avait peut-être usé aussi sa langue.

En milieu d'après-midi, l'entraînement reprit avec un travail de musculation. Depuis six mois, Bandian souffrait trois fois par semaine quand arrivait la séance de musculation. Il voulait être aussi performant que les autres, mais il rendait trente centimètres au plus grand des élèves et trente-cinq kilos au plus lourd.

Après une pause d'une demi-heure, Karim forma deux mini-équipes et organisa un match de deux mi-temps de vingt minutes. Touré se retrouva à l'aile droite de la première équipe et Bandian à l'aile droite de la seconde. Karim siffla le coup d'envoi.

Bandian était un vrai maître du ballon. Il courait sur le terrain avec une telle légèreté que, par moments, on l'aurait cru évoluant en plein ciel. Toujours placé, toujours adroit pour dévier une balle et toujours dangereux à l'approche des seize mètres, il frappait le ballon avec l'assurance d'un maître du feu qui forge un bijou d'or... un ballon d'or.

De son côté, Touré distribuait avec précision le jeu pour ses équipiers. Il donnait une autre dimension au terrain quand il attaquait. Il créait des situations toujours inattendues en fixant sur lui seul deux ou trois défenseurs et, impérial, il tirait du gauche comme du droit.

Karim arbitrait avec rigueur. Rien ne lui échappait et tout geste à la limite de la régularité était sanctionné. Au coup de sifflet final, le score était de trois-trois. Bandian et Touré avaient chacun marqué deux buts pour leur équipe.

– À la douche ! Puis nettoyez et graissez vos chaussures. Je passerai l'inspection.

Derrière Karim, s'élevèrent des applaudissements. Béchir approchait, suivi de Fanta qui portait une petite caméra.

– Karim, mon ami, il faut que l'on parle toi et moi.

– De quoi ?

– De sport et d'affaires.

– De sport ou d'affaires ?

– De sport *et* d'affaires, Karim, tu as bien entendu.

Ils s'assirent sur la première marche des tribunes.

– Karim, on devrait s'associer tous les deux. Avec ta science du football et ma science des affaires, on pourrait faire de grandes, de très grandes choses.

— Le foot, c'est du sport, c'est pas des affaires !

— Faux ! Karim. Le sport et l'argent, c'est kif-kif, ça marche ensemble. Regarde Carl Lewis : dix secondes aux cent mètres égalent cent mille dollars. Oui, dix mille dollars la seconde !

— Je suis un sportif, pas un financier.

— Je suis passé à l'internat, Karim... hum, c'est pas terrible. Pas le moindre confort. Ton école a besoin d'argent. Toi aussi tu as besoin d'argent.

— Moi ?!

— Oui, toi... la vedette des années soixante-dix et quatre-vingt ; toi, le grand homme du *Syli* de Guinée... toi, le héros de toute l'Afrique.

Karim se déchaussa tranquillement. Assis, talons au sol, il regarda ses pieds. C'est vrai qu'il avait réalisé des prouesses avec ces deux pieds-là !

— Je n'ai pas besoin d'argent. L'école tourne et je me débrouille.

— Bandian, c'est moi qui te l'ai amené. C'est de l'or, rien de moins : une pépite de douze ans que les clubs d'Europe se disputeront.

— Bandian n'est pas à vendre.

— Pas encore, mais bientôt. Il ira peaufiner sa technique dans une école, en France.

– En France ?

– Oui… je m'en occupe.

– Béchir, tu es un négrier.

– Karim, ouvre les yeux. Tu sais bien qu'aujourd'hui le talent, c'est de l'argent.

– Tu ne convaincras jamais sa famille… son village. Si tu veux l'expédier en France à son âge, comme une marchandise, tu te heurteras à tous les fétiches de son village.

– On verra, on verra. Tu ne comprends décidément rien à la vie internationale du foot moderne, du foot d'aujourd'hui et de demain. Tu ne comprends rien mais je t'aime bien quand même. Tu restes mon idole, celle de mes quinze ans.

Pendant ce temps, tous les joueurs de l'école s'étaient douchés. Oh, pas comme se douchent les joueurs du Milan AC après un match ou encore ceux de l'Olympique de Marseille. Non, ils s'étaient douchés à l'africaine, à l'eau froide, chacun s'aspergeant à l'aide d'une calebasse, avec de l'eau recueillie dans un grand bidon.

Puis ils graissèrent leurs chaussures à crampons de caoutchouc moulés dans la semelle. Personne ne parlait, mais tous pensaient à la même chose : qui parmi eux allait être sélectionné par Karim pour jouer demain contre les *Castors* de Kindia ? Le match d'entraînement qui venait de s'achever avait été certainement la dernière revue des troupes. À l'heure qu'il était, Karim avait sûrement établi la liste des onze joueurs et des deux remplaçants. Jouer contre les *Castors* ! Jouer un match officiel ! Un match de coupe !

– Pffuit… pffuit…

Bandian se retourna. Il aperçut Bouba qui lui faisait signe. Tout heureux, il se leva et le rejoignit.

– Bandian, comment ça va les buts ? Comment ça va les dribbles ? Comment ça va la santé ?

– Et toi Bouba, comment ça va ?

– Moi je suis devenu le régisseur des *Dents de la mer*, l'homme de confiance de Béchir. Comme je sais tout faire, je m'occupe de tout !

Heureux de se retrouver, ils se donnèrent de grandes claques sur les épaules en riant.

– Tiens Bandian, c'est pour toi.

– … ?

– Des Nike, des chaussures de gagneur, c'est le dernier modèle. Peut-être même que Roger Milla n'a pas encore essayé une paire comme ça.

Touré passa près d'eux. Il était pieds nus et portait dans chaque main une chaussure bien astiquée.

– Il n'est pas grand ton supporter ! Remarque bien que tu n'as pas besoin de supporter grand ou petit puisque demain c'est moi qui jouerai numéro 10, pas toi.

– Je ne joue pas ?

– Tu ne sais pas jouer.

– Karim n'a pas encore donné les noms.

– Tu ne sais pas jouer.

– Celui-là, il ne t'aime pas parce qu'il a peur de toi, observa Bouba en désignant Touré. Il sait que tu es le meilleur.

– Lui, meilleur ! s'esclaffa Touré.

– Si tu veux, on jongle chacun avec un ballon, répliqua Bandian. On verra celui qui jonglera le plus longtemps sans que le ballon touche terre.

– D'accord.

Entourés de tous les joueurs de l'école, plus Bouba, ils commencèrent à jongler. Pieds nus. Ballon au pied, au genou, à la tête, à l'épaule. Ils étaient forts, très forts.

153

Bandian, tout à coup, se crut à Makono. Diène était là, le vieux Moussa, son frère Kanimadi, Isabelle et Sara et même Siaki. Ils l'applaudissaient. Il entendait même Radio-Kankan qui commentait :

– … Bandian-champion fait une démonstration. Toute l'Afrique est fière de lui, le monde entier est en admiration. Bandian la gazelle de Makono mérite bien son titre de champion du monde.

Bandian se sentait des ailes. Il jonglait sans précaution, lançant du pied le ballon de plus en plus haut au-dessus de sa tête. Touré l'imita, encore et plus… aïe ! Le ballon de Touré tomba au sol. Une fois de plus, Bandian récupéra le sien entre ses épaules. Il était penché complètement en avant ! Bandian venait de gagner.

Tout le monde l'applaudit. De joie, Bandian commença à danser le makossa… comme Milla.

– Bandian !

Silence d'un seul coup. C'était la voix de Karim.

– Bandian, tu te prends pour une vedette ou quoi ? On ne devient pas une vedette du jour au lendemain. Bien, écoutez les noms de ceux qui joueront demain.

Karim sortit son papier et lut. Touré jouait, Bandian n'était que remplaçant. Derrière Karim, Béchir fit la moue. Il s'avança d'un pas, marqua un temps et déclara :

– J'ai loué un grand car pour vous tous, ceux qui jouent et ceux qui ne jouent pas. Tout le monde ira à Kindia. On pourra aussi emmener une trentaine de supporters. Moi, je pars ce soir. J'ai une ou deux petites affaires à régler là-bas…

16

Le car était archi-propre, il avait l'air aussi bien repassé qu'un joli boubou de cérémonie. Bouba, grand organisateur, avait installé Karim à la meilleure place, devant, à la droite du chauffeur. Ensuite, les vingt élèves de l'école étaient montés. Bouba distribua à chacun une paire de lunettes de soleil.

— On n'est pas des toubabs pour porter des lunettes de soleil, déclara Abdou.

— Ça n'a rien à voir avec les toubabs! Ces lunettes, ça impressionnera l'adversaire quand on arrivera. Des lunettes, ça fait grande équipe.

Karim sourit. La fête commençait. La journée à Kindia était pour tous une récompense après des semaines et des mois de travail.

Bouba demanda au chauffeur de démarrer et de passer aux *Dents de la mer*. Ils suivirent un peu la corniche et tournèrent vite vers le cœur de la ville. Arrivés aux *Dents de la mer*, ils eurent la surprise de découvrir une quarantaine de personnes qui attendaient, dont une douzaine au moins de tamtameurs et un groupe de supporters brandissant une grande banderole qui disait « Conakry gagnera la coupe ». Bandian remarqua tout de suite Fodé et quelques apprentis de Bangoura.

Quand tout ce beau monde eut trouvé une place dans le car, Bouba donna le départ.

Il était huit heures du matin dans le car qui emportait joueurs et supporters, il était aussi huit heures à Kindia. Béchir était déjà arrivé dans sa belle Mercedes blanche, avec Fanta bien sûr, mais aussi avec Maïla. Il laissa les deux amies à l'hôtel. Lui, il avait à faire. Il partit d'un pas assuré vers sa voiture et s'y installa avec la tranquillité de quelqu'un qui est en haut du haut… Il ne lui fallut pas plus de vingt minutes pour rencontrer, au stade, le président des *Castors* qui vérifiait si tout était prêt, si la tribune officielle était bien aménagée. Après les salutations d'usage, Béchir demanda au président s'il pouvait saluer les joueurs de l'équipe et leur souhaiter bonne partie au nom de toute l'école de Conakry et au nom, bien sûr, du grand Karim qui manageait l'équipe. Il ajouta qu'il avait un petit cadeau pour chaque joueur ainsi que pour le président.

À onze heures trente, le président guida Béchir jusqu'à sa villa. Tous les *Castors* étaient dans le grand jardin, à l'ombre. Une belle table était dressée et ils s'apprêtaient à prendre un repas léger. Béchir salua chacun. Il posa sur la table un immense sac de sport bleu et blanc qui fit l'admiration de tous. Désinvolte, il informa :

— C'est le président du Paris-Saint-Germain qui me l'a donné, par amitié...

Avec des gestes précis et calculés, il ouvrit lentement la fermeture éclair. Il sortit tout d'abord une belle casquette rouge et blanche qu'il offrit au président, puis un parapluie qu'il lui remit en précisant :

— Président, ceci est pour votre épouse. Je sais qu'il pleut presque aussi souvent à Kindia qu'à Conakry.

Ensuite, il offrit à chaque joueur une casquette du même modèle que celle offerte au président. Puis il déclara :

– À présent je vous laisse. Bonne chance à vous, les *Castors*, mais méfiez-vous de nous, nous sommes venus à Kindia pour gagner ! Alors… que les meilleurs gagnent.

Il fit signe à un joueur de le suivre vers sa voiture. Il lança haut et fort pour que tous l'entendent :

– Toi, le numéro 4, accompagne-moi, j'ai autre chose pour l'équipe.

Le joueur le suivit. Arrivé dans la rue, près de la Mercedes, Béchir ouvrit son coffre en souriant.

– Prends ce ballon, c'est pour votre équipe. Tu le donneras au président… Tu t'appelles comment toi, numéro 4 ?

– Ousmane.

– Ousmane, tu as l'air d'un garçon très intelligent. Dis-moi, ça t'intéresse de gagner assez d'argent pour t'acheter un ballon beau comme celui-là, ou un deux-roues à moteur ?

– Oui !

– Ousmane, j'ai dans ma poche des billets, des grands. Ils sont à toi si tu m'écoutes.

– C'est vrai ?

— Oui.

— Qu'est-ce que je dois faire ?

— C'est simple, dès le début du match, tu cartonnes le numéro 10 de chez nous. Tu le cartonnes jusqu'à ce qu'il tombe pour de bon. O.K. ?

— … le numéro 10, bredouilla le joueur.

— Tiens, voilà la moitié des billets. Tu auras l'autre moitié ce soir, après le match, à mon hôtel.

Béchir glissa à Ousmane plus de billets que n'en gagne un paysan avec la récolte de son champ. De retour à l'hôtel, il retrouva Fanta et Maïla. Il commanda une grande bière pour lui, deux cocktails pour ses amies et… deux poulets grillés. Il était très heureux. Il vérifia que sa caméra était en bon état de marche et dit à Fanta :

— Tout à l'heure, Bandian jouera. Je le filmerai. Un film de plus pour mon dossier.

Le car arriva à l'heure. Avant de gagner le stade, les supporters, les joueurs de l'école et Karim grignotèrent des brochettes de bœuf, de bonnes mangues et des bananes.

Les spectateurs étaient nombreux déjà autour du terrain. Les batteurs de tam-tams de Kindia s'étaient installés au pied de la petite tribune. Ceux de Conakry juste en face, de l'autre côté du terrain, le long de la ligne de touche. Les officiels arrivèrent. Certains étaient habillés à l'africaine, d'autres à l'européenne. Karim monta saluer le préfet, le médecin directeur de l'Institut Pasteur et le président de la fédération. Alors qu'il serrait les mains, il fut acclamé par tous. Depuis la belle époque où il avait été élu par les journalistes du continent meilleur joueur de la Coupe des Nations, il était un héros national. Il aurait pu se présenter aux élections... Il promit au reporter de la radio nationale de dire quelques mots à la mi-temps ou à la fin du match.

Les joueurs arrivèrent sur le terrain au rythme des tam-tams. Les batteurs de Kindia et de Conakry avaient trouvé le même rythme pour le début du grand match. Les spectateurs et même les officiels tapaient dans leurs mains. L'arbitre siffla le coup d'envoi. Pour ce début de match, le sort avait offert le ballon à Conakry. Ce fut Touré qui, d'un coup de pied placé, lança son équipe à l'assaut des buts de Kindia.

Sur le terrain, vingt-deux paires de jambes se mirent à danser. Les tam-tams violentaient l'espace, échauffaient le sang des milliers de spectateurs. Très vite, Kindia montra sa grande expérience et son savoir-faire technique, construisant ses attaques grâce à un beau jeu collectif. Il fallut toute l'élasticité d'Abdou, dans les buts de Conakry, pour dévier des ballons précis, puissants comme des boulets de canon.

Passées les premières bourrasques de la tornade des *Castors*, Conakry se reprit, procédant le plus souvent par contre-attaques. Très vite, Touré se fit remarquer. C'est lui qui rythmait les efforts de Conakry, lui qui, par son aisance technique et ses dribbles à répétition, était le plus dangereux.

Son premier tir fut renvoyé par le poteau. À partir de ce moment, on ne vit plus que lui courir pour Conakry : il était partout et aussi… par terre ! Bousculé, crocheté, renversé, il ne passait pas. La température des tam-tams montait au fil des minutes. Chaque fois que le numéro 4, défenseur des *Castors*, visait Touré, Touré allait à terre.

L'arbitre ne sifflait coup franc qu'une fois sur deux, ou trois… Après trente minutes de jeu, le score était nul : zéro-zéro. C'était un beau match. Mais un match sans but, chacun le sait, c'est comme du riz sans sauce.

La pression des *Castors* était forte. Ils semblaient inusables. Sur une bonne relance d'Abdou, Touré amortit le ballon de la poitrine. Il était à hauteur de la ligne médiane. De là, il s'envola, sûr de lui, vers le but adverse. Il ne passa qu'un seul joueur. Ousmane, numéro 4 des *Castors*, se précipita. Il ne fit pas dans la dentelle ! Au lieu de viser le ballon, pour stopper l'action d'un beau tacle latéral, il visa la jambe. Touré voltigea. Il s'effondra. Dans le stade, un même cri jaillit de toutes les bouches et les tam-tams hésitèrent. L'arbitre siffla. Il sortit un carton jaune et donna un avertissement à Ousmane. Il y eut trente secondes de cafouillage. Touré, blessé, fut évacué. Karim demanda à Bandian d'entrer en jeu. Quand Touré, porté sur une civière de fortune, passa près de Bandian, il lui tendit la main.

– Bandian, à toi de marquer, montre-leur… Il faut gagner. Et méfie-toi du numéro 4, c'est un salaud !

Dans la tribune, Béchir souriait encore et toujours, la caméra vissée à l'œil. Quand, peu après, l'arbitre siffla la mi-temps, il se tourna vers Fanta et lui dit :

– Je savais bien que Bandian jouerait.

À la reprise, Bandian fit des étincelles. Les *Castors* s'étaient beaucoup usés en première mi-temps et le petit plus toujours nécessaire pour marquer leur manquait. Bandian, plus vif qu'une mouche à feu dans la nuit, plus zigzaguant qu'un moustique, était partout. Il anticipait l'action et passait : petit pont. Il relançait la contre-attaque et débordait : grand pont. Quand il réussit une belle reprise de volée qui rencontra l'estomac du goal, il fut totalement mis en confiance et redevint d'un coup, dans sa tête et dans ses jambes, la gazelle de Makono.

C'est lui qui marqua le premier but, un but enfantin comme en marquent les grands joueurs qui n'ont jamais oublié que le football est avant tout un jeu. Il loba le gardien qui s'était trop éloigné de sa cage. Le ballon glissa par petits bonds, comme à petits pas, au fond des filets.

Le reporter de la radio nationale s'égosillait pour apprendre à toute la Guinée qu'un nouveau champion venait de naître ; qu'un nouveau milieu de terrain était arrivé pour servir la Guinée !

À Makono, sous le baobab du village, Kanimadi, Keita-Radio-Kankan et les autres plus Sara écoutaient le reportage. Le but de Bandian avait déclenché des clameurs !

À Kindia, sur le terrain, c'étaient tam-tams, cris, sueur. Tam-tams, chants et le ballon d'un tir de vingt mètres feinta Abdou.

Conakry 1 – *Castors* de Kindia 1.

Il ne restait plus que dix minutes à jouer. Tout était à refaire.

Tous les supporters de Conakry se mirent à crier BAN-DIAN, BAN-DIAN. Très vite la musique accompagna leurs cris et, de plusieurs côtés du stade, monta une chanson qui disait seulement BAN-DIAN TAM-TAM BAN-DIAN-TAM-TAM-BAN-DIAN-TAM-TAM. Ce fut assez.

Bandian avala la comptine rythmée et attaqua encore. Il fit chanter le ballon pour répondre au chant des supporters. Il attaqua, oui, comme un feu de brousse poussé par l'harmattan. C'est sur une rentrée de touche qu'il devint maître du ballon, quand, du droit, il tira sèchement à ras de terre, les deux yeux fixés non pas sur le but adverse, mais sur le ballon.

Deux à un ! Score final !

Pour le premier tour de la Coupe, l'équipe de l'école de Conakry venait d'éliminer les *Castors* de Kindia.

Dans la joie du vestiaire, Béchir filmait tout le monde. Touré, jambe sérieusement bandée, félicitait Bandian.

– Bandian, à la fin de la partie, tu avais Papin dans une jambe et Maradona dans l'autre !

Béchir s'approcha. Il félicita Bandian et dit à Touré :

– Touré… un joueur comme toi ne peut que devenir capitaine d'une grande équipe. Bravo.

17

Bandian avait pris l'habitude, après l'école de foot, d'aller voir les vagues chatouiller la ville. Il se promenait au bord de la mer et, chaque fois qu'il pouvait, sa promenade le menait aux *Dents de la mer*.

Là, Bouba petit-nain devenait de jour en jour grand-patron. Chef du froid, chef du poisson, chef du vidéo club, Bouba était aussi le meilleur des confidents. Dès que Bandian avait une plainte petite ou grande, il la faisait disparaître d'une phrase.

Bandian trouvait trop difficile de se battre chaque jour pour devenir le meilleur des meilleurs? Bouba lui disait : « L'initiation commence quand on tète sa maman et finit quand on est mort ! » Bandian n'était pas content d'avoir bien réussi du pied droit et moins bien du pied gauche, Bouba disait : « On ne peut courir et se gratter le genou en même temps. »

Ils s'étaient connus au moment de la pluie des mangues[*], et plusieurs mois étaient passés. Bouba n'avait pas changé de taille, mais Bandian avait grandi de trois ou quatre centimètres et il avait fêté ses treize ans.

Plusieurs fois, Isabelle le docteur était revenue dédouaner des médicaments et du matériel. Bandian avait appris que Diène, sa maman, était guérie. Sa maman ! Même à treize ans, même si l'on est né un soir de pleine lune, même si l'on est le roi du dribble et du tir, on a besoin de sa maman. Chaque grand champion reste le petit garçon de sa maman !

Ce jour-là, comme chaque jour, Bouba posa sur le bureau de Béchir le courrier qu'il était allé chercher à la boîte postale. Il s'apprêtait à écouter les ordres pour les différentes livraisons, mais, dès qu'il vit la grande enveloppe, Béchir s'exclama :

– C'est ma réponse ! Ça vient de France, de Saint-Étienne.

Il lut la première des vingt pages au sprint et dit seulement à Bouba :

– Reste ici au magasin, tu me remplaces. J'ai une urgence.

Par la fenêtre, Bouba vit la Mercedes s'éloigner. L'adresse de l'expéditeur sur l'enveloppe le laissa rêveur. Saint-Étienne… Il avait vu la cassette vidéo, « L'épopée des verts », avec le grand Salif Keita, parti un jour de Bamako pour la France, avec Rocheteau aussi, « l'ange vert ».

Béchir arriva à l'école alors que Karim était seul. Les élèves étaient partis pour une heure de footing matinal.

– Karim, j'ai réussi à négocier un contrat pour Bandian, un contrat de formation : trois ans tous frais payés, en pension complète, à l'école de Saint-Étienne.

– Bandian ! Mais il n'a que treize ans !

– À partir d'aujourd'hui, Bandian a seize ans. Regarde, c'est marqué là, sur le contrat.

– C'est faux !

– Non, ce n'est pas faux. C'est l'Afrique ici, tu le sais bien. Il faut croire ce qui est marqué. Réveille-toi Karim. L'heure est au football moderne. Treize ans… seize ans, c'est la même chose.

– Béchir, tu ne connais rien au football, mais tu es un vrai négrier.

– Essaie de comprendre. C'est une chance unique pour lui. Il reviendra complètement formé, accompli, jouer ici avec l'équipe nationale.

– Tu te fais des illusions, Béchir, même s'il est vrai qu'il y a de l'argent là-bas. Ils ont des jeunes eux aussi, des jeunes qui sont de bons joueurs. Toi, tu veux vendre du sel à la mer… Et Bandian est si jeune qu'il peut être démoli là-bas, cassé, écrasé !

– Non Karim, pas plus démoli, cassé, écrasé qu'ici.

– Et sa famille ? Est-ce que son père, son village… le laisseront partir ?

– J'en fais mon affaire. Ils ont des grigris mais moi aussi. Le contrat, tous frais payés avec la bourse en plus, c'est je crois le meilleur gris-gris.

– Je t'ai donné mon sentiment, Béchir. Pour aujourd'hui, laisse-moi en parler à Bandian le premier. Je lui ai beaucoup appris ici. Je vais lui dire quelques mots sur ce qu'il aura à apprendre là-bas, dans le monde blanc. Le blanc… c'est la couleur de l'argent !

– Karim, j'ai aussi un projet pour Touré.

– Pour Touré ?

— Il a dix-sept ans, non? J'ai un contact avec une équipe de nationale 2, en France, qui cherche un numéro 10. Ce sera sa chance si on se met d'accord toi et moi. Je lui dois bien cela.

Ils étaient partis avant le lever du soleil. Béchir conduisait la Mercedes et Fanta était assise à ses côtés. Maïla, Bouta et Bandian étaient confortablement installés à l'arrière. Le soleil commençait à vraiment réchauffer la nature quand ils dépassèrent Mamou. Béchir voulait arriver à Makono dans l'après-midi. Après Kouroussa, alors qu'ils ne s'étaient arrêtés que quelques minutes pour manger des fruits et se rafraîchir, Béchir passa une cassette de Zao. Aussitôt, ses passagers se réveillèrent! Quand Zao chanta « football », tous reprirent en chœur :

Le football
C'est pas un mystère
Le football
Il faut savoir le faire
Le football
C'est pas la guerre
Ma ma ma ma ma ma…

En approchant de Kankan, Bandian retrouva les paysages familiers et l'air sec de sa Haute-Guinée. Il dit bonjour à l'arbre à karité*, bonjour au néré*, bonjour au kapokier, bonjour au baobab... enfin, il dit bonjour à Makono.

Béchir arrêta sa voiture près du dispensaire. Le docteur Isabelle était là. Elle les reçut avec une joie visible. Fanta et Bandian partirent seuls vers la concession du vieux Moussa. Béchir, Maïla et Bouba restèrent avec Isabelle qui offrit à chacun un, deux et même trois rafraîchissements.

C'est Diène, leur mère, que Bandian et Fanta virent en premier. Elle cognait avec son pilon pour écraser des graines, au fond de son mortier. Dès qu'elle aperçut ses enfants, elle se redressa vivement. Fanta et Bandian touchèrent leur mère de toutes leurs mains pour s'assurer que leurs yeux avaient raison, que c'était bien elle, Diène, qui était là.

Le vieux Moussa arriva, et regarda sa grande fille et son fils avec une curiosité non dissimulée. Il faut dire que Fanta était belle dans son pagne rose et vert. Ses boucles d'oreille en or et ses chaussures de ville en faisaient une dame qui ne ressemblait plus beaucoup à la Fanta de Makono, qui allait au puits plusieurs fois par jour, tête droite surmontée d'une grande bassine. Bandian aussi avait changé. Il était plus fort et plus grand.

Dès que le vieux Moussa se fut assis, Fanta lui raconta tout : le succès de Bandian à Conakry, ses exploits en Coupe... Moussa en savait déjà beaucoup. La radio en avait parlé souvent et il avait appris que Bandian était un champion. Fanta continua. Ni Moussa ni Diène ne se doutaient qu'en France, une ville s'appelait Saint-Étienne... une ville de football.

Bandian s'éclipsa avec Kanimadi. Ils retrouvèrent Radio-Kankan, puis Bouba qui se promenait dans le village. Ensemble, ils allèrent voir Sara.

– Sara... si le vieux Moussa mon père le veut bien, je partirai en France pour devenir un grand champion.

– C'est bien.

– Sara, Karim a dit que je ne suis pas encore assez grand...

– C'est rien ça, il suffit de te faire grandir. Attends.

175

Sara entra dans sa case. Quand il ressortit, il tenait sa peau de chèvre qu'il posa par terre avant de s'asseoir. Devant lui, les enfants s'assirent jambes croisées. Il commença à se parler à voix haute, à lever et baisser les bras ; il s'adressa au baobab, doyen de tous les arbres, puis il demanda aux enfants de répéter chacun de ses mots prononcés dans une langue inconnue… une ancienne langue de féticheur certainement.

Bandian, Kanimadi, Radio-Kankan et Bouba répétèrent.

– C'est bien, dit Sara, Bandian, crois-moi, tu ne vas pas tarder à grandir.

Ceci dit, il prit sept cauris et les remua dans ses mains en murmurant des formules secrètes. Quand ce fut fait, il déclara :

– Je vais jeter les cauris, s'ils se mettent à terre sur le dos, alors il n'y aura pas de problème, Moussa laissera partir Bandian.

Il les lança. Le cœur de Bandian, celui de Kanimadi, celui de Radio-Kankan et celui de Bouba s'arrêtèrent de battre une seconde ! Bonheur ! Grand bonheur à Makono ! Tous les cauris reposaient sur le dos.

La nuit commençait à s'épaissir quand Béchir arriva, à pied, à la concession du vieux Moussa. Après de longues salutations de bienvenue, il offrit ses cadeaux. Deux beaux pagnes brodés pour Diène, deux pipes pour Moussa, plus du tabac d'Europe! Un équipement complet de footballeur pour Kanimadi et... une belle lampe à gaz pour éclairer la nuit.

Tout de suite, Fanta fit fonctionner la lampe et chacun put voir le visage de l'autre. Tout le monde était là.

Béchir parla. Moussa ne voulut rien dire avant que chacun se soit exprimé.

– Bandian est très jeune... À seulement treize ans, loin de sa famille, en France... Attention!

– Docteur Isabelle, la bourse de Bandian, c'est plus que les paysans du village de Makono ne gagnent dans toute une vie... Et puis quand la chance passe en Afrique, elle ne passe qu'une fois. Il faut la saisir.

– Je comprends...

– Je connais Saint-Étienne, c'est une grande ville, déclara Sara.

– Vous connaissez Saint-Étienne? Mais je croyais que vous n'étiez jamais sorti de Guinée, dit Isabelle, surprise.

– Je connais Saint-Étienne, répéta Sara, C'est très bon Saint-Étienne.

Tout en répondant à Isabelle, il sortit de sous son boubou un gros livre écorné, usé, et le lui tendit. Isabelle lut à haute voix :

– Manufacture de Saint-Étienne, catalogue des armes et cycles 1930.

– C'est très bon, très bon Saint-Étienne, répéta Sara, qui ajouta en désignant le catalogue : c'était au père de mon père qui était un grand féticheur.

Silence.

– Je voulais que mon fils reste près de moi, mon dernier fils. Mais il est déjà parti. Qu'il soit à Conakry ou en France, pour moi c'est la même chose. C'est au loin, ailleurs. Alors…

– Alors…

– Il peut partir en France. Je garderai les papiers de l'équipe de Saint-Étienne dans ma case.

– C'est une bonne chose, une très bonne chose, oui. Bandian va devenir un grand champion.

18

Le lendemain, Béchir regagna Conakry en compagnie de Maïla, Fanta et Bouba. Bandian restait quelque temps à Makono, en attendant le grand départ vers la France. Béchir avait dans sa poche le contrat portant sa signature et celle du vieux Moussa qui n'avait jamais su écrire autre chose que son nom.

Moins d'un mois plus tard, Bandian prépara son sac pour le grand départ. C'était un sac minuscule.

Diène serra Bandian contre elle, très fort. Elle le respira comme si elle voulait garder en elle à tout jamais le parfum d'enfance de son dernier fils.

Assise à l'entrée de la cour, Isabelle attendait. C'est elle qui accompagnerait Bandian jusqu'à Conakry.

Bandian alla voir son père. Le vieux Moussa était assis. Il prit une gorgée d'eau dans une calebasse, se rinça la bouche puis recracha. Ensuite, il se massa un peu les gencives. Quand ce fut fait, il tendit les bras vers Bandian. D'un geste lent il prit les mains de son fils et les tourna, paumes vers le ciel. Ensuite il murmura quelques paroles sacrées du *Coran*. Bandian ferma les yeux. Quand Moussa lâcha les mains de son fils, ce fut pour les poser sur son propre visage. Bandian fit le même geste, montrant ainsi au Prophète et à tous qu'il acceptait la bénédiction de son père.

Radio-Kankan et Kanimadi montèrent dans le 4x4 d'Isabelle, au départ de Makono. Ils roulèrent cinq kilomètres avant de descendre.

– Bandian, quand je serai un journaliste de sport, je raconterai tes exploits au monde entier.

– Bandian, petit frère, moi je serai toujours ton grand frère, ne l'oublie pas, même quand tu seras plus loin que la fin des déserts.

Ils roulèrent toute la journée. Il était tard quand ils arrivèrent dans la moiteur de Conakry. Isabelle déposa Bandian juste devant la grande grille des *Dents de la mer*. Bouba l'attendait.

– À demain soir, Bandian. Je serai à l'aéroport.

– Madame Isabelle, ce soir, est-ce que vous y avez pensé au poème ?

– Lequel ?

– *Conakry chaque jour*
   Chaque nuit
   La mer te caresse.

Le lendemain de ce jour-là, Bandian eut l'impression que les heures, les minutes et les secondes faisaient la course. Entre sa valise, son passeport, son visa, la lettre officielle d'entrée à l'école de formation de Saint-Étienne et les vêtements neufs pour partir... ça faisait beaucoup. Il arriva à l'aéroport à dix-neuf heures. L'avion ne décollait qu'à vingt-deux heures. Béchir filmait. Fanta était très énervée, émue aussi. Bandian allait partir !

Isabelle arriva. Elle embrassa Bandian et lui remit une enveloppe.

– Bandian, dans cette enveloppe, tu as l'adresse et le numéro de téléphone de ma mère et de mon père. Ils habitent Grenoble, c'est une ville qui n'est pas très loin de Saint-

Étienne. Si tu as un problème ou seulement des soucis, tu téléphones à ma mère. Elle te connaît déjà, je lui ai parlé de toi. Promis ?

– Promis.

Isabelle partit. Elle se retourna quatre fois avant de quitter l'aéroport. Vers vingt heures, Karim arriva, avec tous les élèves de l'école. Ce fut un moment de joie, de grande joie. Un peu avant que Bandian ne franchisse le contrôle de police pour aller jusqu'à la salle d'embarquement, Touré s'approcha de lui et lui dit :

– À l'année prochaine… j'ai signé. Je commencerai la saison avec une équipe française, en Bretagne : l'équipe de Guingamp.

Bandian avait dit au revoir à tout le monde. C'est Bouba qu'il serra le dernier sur son cœur.

– Bouba…

– Petit frère, envole-toi et, là-bas, à Saint-Étienne, si tu retombes, ne regarde pas l'endroit où tu es tombé, regarde seulement où tu te seras cogné. Au revoir.

Bandian les quitta tous. Il avait le cœur gros, gros comme un ballon d'or, quand l'hôtesse d'Air France lui sourit en lui indiquant sa place dans l'avion.

GLOSSAIRE

Almamy : imam ou chef religieux du Fouta-Toro (Sénégal) ou du Fouta-Djalon (Guinée).

Apatam : construction sur pilotis, au toit en paille ou en feuilles de palmier tressées.

Banco : terre argileuse mélangée avec de la paille hachée et quelquefois du sable et du gravier.

Bissilillâhi : forme africaine de la formule *bissimillah* : « au nom de Dieu », qui figure en tête de chaque sourate (chapitre) du *Coran*.

Boubou : vêtement traditionnel long porté par les hommes.

Cafre : Infidèle, païen, celui qui n'observe pas la religion musulmane.

Canari : vase en terre cuite pour conserver l'eau potable.

Cauris : petit coquillage de l'océan Indien utilisé dans le passé comme ornement et monnaie d'échange.

CFA : sigle, abréviation, de franc CFA (Communauté financière africaine). Unité monétaire créée en 1945 et en usage dans de nombreux pays d'Afrique.

Chicotter : infliger un châtiment corporel avec une badine, une baguette, un bâton.

Concession : terrain regroupant plusieurs cases ou maisons en dur et sur lequel vit une famille.

Daba : sorte de houe qui sert à retourner la terre.

Eau de coco : jus de la noix de coco dont la maturité n'est pas achevée.

Éléphant : joueur de l'équipe nationale de football de Côte d'Ivoire.

Farakaroun : hymne des forgerons du Manding. En malinké, ce mot signifie « bloc de roc ».

Fétiche : objet que l'on dit chargé d'un pouvoir surnaturel qui peut avoir un effet protecteur ou maléfique.

Fonio : graminée cultivée ou non, dont les grains sont consommés le plus souvent en bouillie.

Fouta-Djalon : massif de Moyenne-Guinée qui culmine à 1425 mètres. La région du Fouta-Djalon est célèbre pour ses pagnes teints à l'indigo, une teinture bleue obtenue à partir des feuilles d'un arbrisseau appelé indigotier.

Franc guinéen : unité monétaire de la Guinée depuis 1960.

Fromager : arbre commun d'Afrique de l'Ouest, pouvant atteindre une taille gigantesque.

Gombo : plante alimentaire dont le fruit allongé ou rond sert à faire des sauces.

Griot : musicien et poète d'Afrique de l'Ouest. C'est lui qui a en mémoire la tradition orale.

Groupe : diminutif de « groupe électrogène ».

Guigoz : marque célèbre de lait en poudre, dont les boîtes en aluminium ont toujours, en Afrique, été récupérées pour de multiples usages.

Harmattan : vent d'Afrique, chaud et sec, venant du nord-est ou de l'est.

Jetons : familièrement, pièces de monnaie. En Guinée, ce mot désigne les pièces en francs CFA.

Kapokier : bel arbre d'Afrique, à fleurs blanches ou rouges. Il fournit le kapok.

Karité : grand arbre qui donne des noix à partir desquelles on obtient du beurre et de l'huile.

Kharéman : homme de la brousse.

Lion Indomptable : joueur de l'équipe nationale de football du Cameroun.

Malinké (ou Manikan ou Mandingue) : c'est-à-dire du Mandé (Mali). L'un des principaux peuples d'Afrique de l'Ouest, héritier de l'empire fondé au XIIIe siècle par Soundiata Keita. Les Malinkés sont très présents en Haute-Guinée, au Sénégal, au Mali.

Marabout-féticheur : musulman respecté et consulté pour sa sagesse et sa connaissance de l'Islam. Il est aussi guérisseur.

Margouillat : sorte de gros lézard coloré.

Néré : arbre dont on utilise les racines et les graines en médecine traditionnelle.

Ninkinanka : dragon, dans les contes mandingues et diolas de Casamance.

Nivaquine : médicament contre le paludisme, maladie transmise par les moustiques et très répandue en Afrique.

N'na : maman en langue malinkée.

Nyama-nyama : ensemble d'objets hétéroclites et sans valeur, bricoles, pacotilles…

Pain de singe : fruit du baobab.

Pharaon : joueur de l'équipe nationale de football d'Égypte.

Pluie des mangues : c'est en mars-avril le nom de la pluie du début de la saison des pluies, à Conakry.

Rônier : grand palmier droit et lisse dont les feuilles en éventail sont groupées en bouquet au sommet.

Samory Touré : l'un des plus grands chefs malinkés. Né en 1830 dans une modeste famille, il fut couronné empereur et élu almamy. Il lutta contre les Français et fut souvent grand vainqueur avant d'être capturé et exilé. Il mourut au Gabon en 1900.

Seccos : clôtures faites de tiges végétales entrelacées, souvent de la paille de mil.

Soomaa : grand féticheur, en langue malinkée.

Sucrerie : terme qui désigne globalement tous les jus de fruits, sodas, Coca-Cola...

Toubab : mot qui désigne les Blancs, en Afrique.

Vingt-huit septembre (1958) : date de l'indépendance de la Guinée.

Youssou N'dour : chanteur sénégalais très populaire en Afrique.

Ce récit a été tiré du film
de **Cheik Doukouré**

LE BALLON D'OR

Avec Aboubacar Sidiki Soumah, Salif Keita,
Habib Hammoud, Mariam Kaba
et la participation d'Agnès Soral.

Scénario original :
Cheik Doukouré et David Carayon.

Adaptation et dialogues :
Cheik Doukouré, David Carayon et Martin Brossollet.

Musique :
Loy Ehrlich, Ismaël Isaac et Boom Bass.

Chanson *La hantise du portier* :
MC Solaar.

Une coproduction :
Chrysalide Films/le Studio Canal +/France 2
Cinéma
Bako Productions
Avec la participation du Centre National de la
Cinématographie, Ministère de la Coopération et
du Développement, Écrans du Sud, l'Agence de
la Coopération Culturelle et Technique, Canal
Horizons.
Avec le soutien de la PROCIREP.

☁ L'AUTEUR

Yves Pinguilly est né à Brest. Il a grandi à Nantes, vécu au Havre et… à Paris qui est, dit-il, tout autant que Nantes un port de mer! Depuis plus de trente ans, il passe chaque année plusieurs semaines ou plusieurs mois en Afrique. S'il s'est souvent promené sur les pistes de l'Afrique des grands lacs, là où l'on soupçonne le Nil de prendre sa source, il a aussi dormi dans les forêts d'Afrique Centrale dont les arbres si grands mangent la lumière.

Pourtant, c'est l'Afrique de l'Ouest qu'il connaît le mieux : Afrique des griots qui content la tradition sous l'arbre à palabres.

☁ L'ILLUSTRATEUR

Zaü (André Langevin) est né à Rennes en 1943. Après des études à l'école Estienne, il a travaillé en agence de publicité de 1964 à 1970. C'est à cette époque qu'il a commencé à collaborer avec la presse pour les jeunes : Bayard, Milan et Hachette ainsi qu'avec de nombreux éditeurs dont Rageot Éditeur.

Il a réalisé plusieurs expositions personnelles suite à des voyages en Afrique noire.

Retrouvez la collection

sur le site www.rageot.fr

RAGEOT s'engage pour l'environnement en réduisant l'empreinte carbone de ses livres. Celle de cet exemplaire est de :

600 g éq. CO$_2$ Rendez-vous sur www.rageot-durable.fr

PAPIER À BASE DE FIBRES CERTIFIÉES

Achevé d'imprimer en France en juin 2017
sur les presses de Jouve, Mayenne
Dépôt légal : mars 2017
N° d'édition : 5447 - 02
N° d'impression: 2563937R